Le shérif de Nottingham

Richard Cœur de Lion

Frère Tuck

Will l'Écarlate

Geronimo Stilton

ROBIN DES BOIS

Chers amis rongeurs,

Ma passion pour la lecture est née il y a bien longtemps, quand j'étais encore un souriceau. Je passais des heures entières à dévorer des romans magnifiques, qui m'ont fait vivre des aventures extraordinaires et visiter des contrées lointaines et stupéfiantes. La lecture donne vraiment des ailes à l'imagination !

J'ai voulu vous offrir les émotions que j'ai vécues alors, et vous raconter les grands classiques de la littérature pour la jeunesse.

Dans la forêt de Sherwood, un groupe de souris courageuses guidé par Robin des Bois s'oppose aux injustices et aux humiliations que leur infligent le perfide shérif de Nottingham et le prince Jean sans Terre.
À travers mille péripéties, embuscades, déguisements et tournois palpitants, Robin parvient à faire triompher la justice en volant aux riches pour donner aux pauvres. Du moins jusqu'au retour du vrai roi, Richard Cœur de Lion !

Geronimo Stilton

*Texte original d'*Alexandre Dumas *librement adapté par* Geronimo Stilton.
*Collaboration éditoriale d'*Annalisa Strada.
Coordination de Lorenza Bernardi *et* Patrizia Puricelli,
avec l'aide de Maria Ballarotti.
Édition de Red Whale *(*Katja Centomo *et* Francesco Artibani*).*
Direction éditoriale de Katja Centomo.
Coordination éditoriale et supervision du graphisme de Flavia Barelli,
Mariantonia Cambareri *et* Giulia Di Pietro.
Couverture de Flavio Ferron.
*Graphisme de référence d'*Arianna Rea *et* Nicola Pasquetto.
Illustrateurs : Elisabetta Giulivi, Raffaella Seccia, Roberta Tedeschi, Luca Usai
et Concetta Valentino.
Encreurs : Alessandro Battan, Michela Frare, Daniela Geremia, Sonia Matrone,
Roberta Pierpaoli *et* Luca Usai.
Coloristes : Cinzia Antonielli, Alessandra Bracaglia, Edwyn Nori
et Nicola Pasquetto.
Graphisme de Paola Cantoni, *avec la collaboration de* Michela Battaglin.
Traduction de Friquette la Souris.

www.geronimostilton.com

Pour l'édition originale :
© 2007, Edizioni Piemme S.p.A. – Via Tiziano, 32 – 20145 Milan, Italie
www.edizpiemme.it – info@edizpiemme.it – sous le titre *Robin Hood*
International rights © Atlantyca S.p.A. – Via Leopardi, 8 – 20123 Milan, Italie
www.atlantyca.com – contact : foreignrights@atlantyca.it
Pour l'édition française :
© 2011, Albin Michel Jeunesse – 22, rue Huyghens, 75014 Paris – www.albin-michel.fr
Loi 49-956 du 16 juillet 1949 sur les publications destinées à la jeunesse
Dépôt légal : premier semestre 2011
N° d'édition : 19540
Isbn-13 : 978 2 226 21995 4
Imprimé en France par Pollina s.a., 85400 Luçon - L55658A

Geronimo Stilton

Robin des Bois

ALBIN MICHEL JEUNESSE

ROBIN DES BOIS ET LES JOYEUX COMPAGNONS

Vers la fin du XIIe siècle régnait en Angleterre le bon **Richard Cœur de Lion**. Quand il monta sur le trône, son pays était ravagé par une terrible disette. Le peuple des souris manquait de tout : de nourriture, d'argent, et même d'espoir !

Richard décida de partir en croisade. Il espérait conquérir ainsi de nouvelles terres, amasser des **trésors** et pouvoir distribuer à ses sujets un peu de ces richesses. Avant de se mettre en route, il confia le trône à son frère le prince Jean, dit **JEAN SANS TERRE**.

Autant Richard était courageux et **aimé** de son peuple, autant Jean était injuste et **CUPIDE**, détesté par ses sujets.

Le temps passant, les cruels abus du prince Jean furent de plus en plus **INSUPPORTABLES**. Les impôts augmentèrent, la nourriture se fit rare et les pauvres devinrent encore plus pauvres.

Il n'y avait plus dans tout le pays le moindre village qui ne soit la proie de la famine et du désespoir. Mais dans une forêt du comté de Nottingham, l'un de nous était devenu l'espoir au contraire de tous les opprimés et le **HÉROS** de tous les pauvres. Son nom était Robin des Bois. Il vivait dans la **FORÊT** de Sherwood, avec de très fidèles compagnons. Robin *volait aux riches pour donner aux pauvres.*

Évidemment, il était craint des puissants
du comté. Nobles et rats d'Église étaient ses
« victimes » préférées, précisément parce qu'ils
étaient les plus riches (et aussi les plus malhon-
nêtes !). Les nobles, en effet, s'étaient emparés des
RICHESSES et des titres de
noblesse par la ruse, tandis que les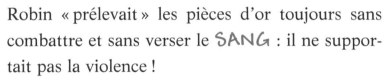
religieux s'enrichissaient aux dépens
des pauvres.

Robin « prélevait » les pièces d'or toujours sans
combattre et sans verser le SANG : il ne supportait pas la violence !

Le procédé était habituellement le suivant : la riche
victime était « invitée » à un copieux banquet
dans la forêt par Robin et ses joyeux compagnons.
À la fin du repas, on demandait courtoisement
à l'invité de… *payer l'addition* !

En somme, Robin des Bois était la bête noire de tous les riches du comté. Il y en avait tout particulièrement un qui voulait se débarrasser de lui, c'était le baron Fitz Alwine, shérif de Nottingham.

Mais qui était Robin des Bois ?

C'était un *chevalier* qui, à cause de la cupidité du prince Jean, avait perdu tout ce qu'il possédait. Il avait dû se réfugier dans la forêt de Sherwood, où il menait une vie de hors-la-loi.

Il y vivait avec ses compagnons, qu'il avait rencontrés au début de son **AVENTURE** et qui ne l'avaient jamais abandonné : Will l'Écarlate, Petit Jean et Frère Tuck.

Will l'Écarlate était reconnaissable à son abondant pelage d'un roux flamboyant et à sa manière de s'agiter comme un lutin.

Petit Jean était appelé « petit » par plaisanterie, car il était si grand et si gros qu'il faisait **peur** rien qu'à le regarder.

Enfin, Frère Tuck était un moine sympathique et courageux qui avait décidé de se joindre à la bande parce qu'il ne supportait plus de voir autour de lui les rats d'Église se *laisser aller* à des comportements peu « religieux ».

Et puis… il y avait les très nombreux amis de Robin. Tous, oui, tous, avaient la même particularité : c'étaient des ARCHERS infaillibles.

Avant de faire entrer chacun d'eux dans sa grande famille, Robin des Bois avait mis à l'épreuve leur courage et leur *honnêteté.*

UN CHEVALIER...
DANS L'EMBARRAS

Un matin, Robin des Bois, Will l'Écarlate et Petit Jean discutaient sous « l'ARBRE des rencontres », ainsi appelé parce que les compagnons aimaient se réunir à l'**OMBRE** de son feuillage.

– Écoutez ! dit Robin. Il me semble entendre les sabots d'un cheval ! Voyons qui vient par ici...

ENCOURAGÉ par l'idée que c'était peut-être un riche chevalier qu'ils pourraient « inviter » à déjeuner contre un pourboire rondelet, Petit Jean se leva et avança dans la direction d'où semblait provenir le bruit.

Robin et Will attendaient tranquillement à l'écart, se délectant à la perspective d'un bon repas. Mais bien vite ils remarquèrent que le chevalier qui venait vers eux portait de pauvres habits, qu'il penchait la tête sur le côté, comme accablé de CHAGRIN.

Son allure était si exagérément pitoyable que Petit Jean se mit à douter.

– Ça m'a tout l'air d'une mise en scène, se dit-il tout bas. D'après moi, il se donne l'apparence d'une pauvre souris pour éviter de se faire détrousser.

Le chevalier chevauchait toujours, si absorbé dans ses pensées qu'il ne s'était pas rendu compte de la présence de Petit Jean. Le son de sa grosse voix le fit sursauter.

– Bienvenue dans la forêt de Sherwood, étranger !
Nous vous attendions avec impatience.

Le chevalier leva la tête, STUPÉFAIT.
Une ombre de tristesse lui voilait le
REGARD.

– Je crois que vous faites erreur… répondit-il.

Petit Jean répliqua, sûr de lui :

– Point du tout. Voilà des heures que nous vous
guettions et nous étions sur le point d'envoyer
quelqu'un à votre recherche. Mon chef vous
attend à sa table.

Le chevalier fronça les SOURCILS.

– Personne ne m'attend. Vous êtes en train de vous
payer ma tête.

– Je me permets d'insister, reprit Petit Jean. Dès
que nous avons su que vous passeriez par la
FORÊT de Sherwood, nous vous avons attendu
ici, avec mon chef.

– Puis-je savoir *qui* est votre chef ?

– Robin des Bois !

Le chevalier n'en crut pas ses oreilles.

– Le célèbre hors-la-loi ?!

Petit Jean SOURIT.

– Lui-même ! Robin des Bois en personne !

– En ce cas, ce sera un plaisir de faire sa connaissance !

Petit Jean saisit les brides du destrier du chevalier triste et le conduisit auprès de Robin.

L'étrange chevalier se présenta sous le nom de sir Richard de La Plaine. À son tour Robin pensa qu'il feignait la pauvreté pour ne pas avoir à donner à la bande de la forêt une part de ses richesses.

Robin accueillit sir Richard avec le meilleur confort possible. Il lui offrit le siège le plus confortable et fit en sorte que son cheval soit bien soigné. Quand tout fut prêt, il lui servit un repas COPIEUX composé de plats délicieux et de boissons en abondance. Le chevalier fit

honneur à son hôte, mangea avec appétit, se resservit plusieurs fois et le complimenta pour tous ces mets exquis.

Quand le banquet s'acheva, Robin et son hôte allèrent se reposer à l'**OMBRE** des A R B R E S qui entouraient la clairière...

RIEN QUE DIX ÉCUS !

a *tranquillité* de l'endroit avait mis Robin des Bois et le chevalier de BONNE HUMEUR. Leur conversation se poursuivait agréablement et, tout en chicotant, Robin s'efforçait de tirer de son convive des **informations**. Il voulait savoir qui était vraiment sir Richard. Il lui avait donné l'impression d'être fort courtois, mais Robin n'était pas du tout sûr d'avoir à faire à un rongeur aussi DÉMUNI qu'il le laissait paraître.

Et si c'était une fripouille ?

Robin des Bois avait un caractère direct et loyal.

Aussi, le défaut qu'il détestait le plus chez les autres était la dissimulation. Il se promit de démasquer le chevalier et de lui faire payer le repas jusqu'au dernier écu d'or !

Juste à ce moment, le chevalier déclara :

– Robin des Bois, je désirais **TELLEMENT** vous connaître ! On parle beaucoup de vous ! Je vous remercie de tout cœur pour votre splendide hospitalité et sachez que j'aurai grand PLAISIR à vous rendre un jour la pareille. S'il vous arrive de passer près de l'abbaye de Sainte-Marie, demandez le château de La Plaine. Je serai à votre entière disposition.

Robin se REDRESSA sur son séant.

– Je ne me permettrai jamais de déranger quelqu'un que j'ai accueilli dans la forêt. Je crois, voyez-vous, que n'importe quel chevalier se sentirait offensé si on lui offrait à manger et à boire. Pour ne vexer personne, j'explique toujours à mes invités que je suis l'aubergiste et que mes compa-

gnons sont les serveurs. L'honorable invité peut alors *généreusement* payer les services reçus. Le chevalier SOURIT. Le stratagème que lui décrivait Robin lui paraissait très AMUSANT.

– Robin, j'avais entendu dire que vous utilisiez la courtoisie pour ALLÉGER les poches des rongeurs qui traversent la forêt. Or votre plan est si clair et si *sympathique* que je n'aurais pu en entendre de meilleur !

Robin des Bois porta à son museau une corne qu'il avait toujours à sa ceinture. Il souffla et, aussitôt, Petit Jean et Will le rejoignirent.

– Sir Richard, ces souris sont mes trésoriers. Ayez la courtoisie de leur verser ce que vous avez en poche.

Le chevalier répondit :

– Sans doute serez-vous surpris, mais je n'ai en poche *que* dix *écus* !

Robin et ses amis n'étaient pas du genre à se

contenter de telles paroles. Ils s'assurèrent en personne qu'il disait vrai : Petit Jean **fouilla** soigneusement Richard.

Après un examen attentif, il s'exclama :

– C'est vrai ! Il n'a que dix écus !

La curiosité de Robin fut PIQUÉE au vif. Il demanda :

– Vous avez dilapidé toutes vos richesses ?

– C'est une longue histoire… répondit Richard de La Plaine.

Robin se rassit confortablement et lui dit :

– J'ai tout le temps que vous désirez…

PAUVRE SIR RICHARD !

L e chevalier commença son récit, qui aussitôt *passionna* ses auditeurs.

– Mon château se trouve non **loin** de l'abbaye de Sainte-Marie et je possède un ***territoire*** assez étendu. J'ai eu beaucoup de chance et j'ai épousé la jeune souris dont j'étais **AMOUREUX** quand je n'étais encore qu'un souriceau. De notre union est né Herbert, notre fils bien-aimé. Pendant une longue période, nous avons été très **HEUREUX**. Un jour, voyant que nous étions une famille harmonieuse, un frère de l'abbaye me demanda de recueillir une jeune orpheline. Lilas arriva chez nous alors qu'elle était encore une enfant, et sa présence au château nous remplit de joie.

Elle grandit, belle et *insouciante*. Elle devint une jeune souris, et l'amour, tout naturellement, naquit entre Herbert et elle.

Mon épouse et moi, nous n'aurions pu être plus CONTENTS et nous donnâmes notre consentement à leurs fiançailles.

Mais par un TRISTE jour, un chevalier qui se rendait à l'abbaye s'arrêta au château et nous lui offrîmes l'hospitalité, comme à un ami.

À la vue de Lilas, il tomba éperdument amoureux et il me demanda sa main. Comme vous pouvez l'imaginer, je lui expliquai que Lilas était déjà promise à Herbert. Ce rat arrogant et *violent* ne renonça pas.

Au contraire, il s'entêta. Il parla en tête à tête à Lilas, sans évidemment la convaincre de l'épouser. Alors il s'en alla, **FURIEUX**, et menaça de se **VENGER** pour le tort qu'il déclarait avoir subi. Personne au château ne le prit au sérieux. Hélas… le coquin revint et enleva Lilas.

Dès qu'il l'apprit, Herbert fit seller le plus **RAPIDE** de nos destriers et partit à sa poursuite. Il rattrapa le chevalier et le défia en duel. Ce fut un combat acharné, mais à la fin, Herbert, qui est très habile au maniement de l'épée, l'emporta sur son rival.

La TRISTESSE assombrit le visage de sir Richard.

– Quelques jours plus tard, le prince Jean nous envoya une compagnie de soldats pour ARRÊTER mon fils.

1) Herbert se lança à sa poursuite.
Il rattrapa le chevalier et le défia en duel.

2) Ce fut un combat acharné, mais à la fin
Herbert l'emporta sur son rival.

Je trouvai pour Herbert une **CACHETTE** sûre et j'écrivis au prince Jean une longue *missive* pour plaider la cause de mon fils. Il n'avait fait que défendre sa fiancée et son honneur !

Pour toute réponse, le prince me proposa d'acheter la grâce de Herbert à un prix **EXOR-BITANT**, inaccessible pour moi ! Je décidai alors de demander de l'aide à l'abbé de Sainte-Marie. Celui-ci me proposa un prêt, mais il y mit une condition : si je n'avais pas restitué toute la somme d'ici l'année suivante, mon **château** lui appartiendrait !

Sir Richard, qui jusqu'à ce moment avait narré sa SOMBRE histoire le **REGARD** baissé vers le sol, leva les yeux vers Robin et lui dit :

– *Aujourd'hui*, c'est le jour fatal. Un an est passé, et pourtant je ne possède rien d'autre que les dix écus que vous avez vus !

LE CADEAU
DE ROBIN

Robin des Bois brisa finalement le silence qui avait suivi le récit de sir Richard :

– Peut-être l'abbé vous *accordera*-t-il encore un peu de temps…

Richard de La Plaine secoua la tête.

– Il ne me concédera pas un jour de plus, pas même une **HEURE** ni une minute. Il est **AVIDE**, et impatient de s'emparer de tous mes biens !

Richard était vraiment **désespéré**.

– Je vais tout perdre. Mais ce n'est pas pour moi que je me fais du souci. Je peux supporter tous les sacrifices ! Ce qui me tourmente, c'est que mon épouse et mes enfants n'auront plus rien, pas même le strict nécessaire. Ils vivront dans la **MISÈRE** pour le reste de leurs jours ! Pour moi, la pire peine est de voir souffrir ceux que j'aime !

Robin des Bois comprenait parfaitement tout cela.

Sir Richard poursuivit :

– Quand j'étais riche et puissant, nombreux étaient ceux qui se disaient mes amis. Mais quand je suis allé les voir pour leur demander de m'aider, tous m'ont tourné le dos et m'ont abandonné à mon sort cruel. Il est bien vrai que l'amitié sincère se mesure quand on est dans le besoin !

Sir Richard pleurait maintenant à chaudes larmes. Robin des Bois réfléchit quelques instants, puis il prit une décision :

– Ne vous découragez pas, chevalier. Il y a une souris qui est prête à vous aider.

Le chevalier ne leva même pas la tête.

– Vraiment, je ne crois pas que ce soit possible. Je n'ai plus rien à donner en échange, sinon ma gratitude.

– Pour moi, cela suffit **AMPLEMENT**. Sir Richard, je vais vous aider !

– Vous ?

Will l'Écarlate et Petit Jean furent chargés de trouver tout ce dont le chevalier avait besoin pour maintenir la **dignité** de son titre : argent, vêtements élégants, tissus précieux, et même de magnifiques harnais pour son cheval.

Au moment des adieux, Robin confia à sir Richard :

– On dit de moi que je suis un voleur. Mais moi, je détrousse les riches ! Aux pauvres je ne prends rien. Si je le peux, j'aide celui qui est en difficulté. Dans votre cas, sir Richard, je m'efforce de réparer une **AFFREUSE** injustice.

Derrière Robin, ses compagnons acquiesçaient.

Sir Richard répondit :

– Robin, votre générosité est trop grande ! Je vous garantis que je vous rendrai tout cela d'ici un an ! Robin lui SOURIT.

– J'en suis sûr ! Nous nous reverrons dans un an, ici, sous cet ARBRE.

Tandis que le cheval de sir Richard s'ÉLOI-GNAIT au trot, Robin des Bois s'adressa à ses compagnons :

– Nous avons fait un HEUREUX, la journée a été bien remplie !

UN ACCUEIL GRANDIOSE !

Un matin, Robin des Bois et les inséparables Will l'Écarlate et Petit Jean se promenaient dans la FORÊT de Sherwood en bavardant joyeusement avec quelques-uns de leurs compagnons.

Soudain, un souriceau qui semblait avoir parcouru un long chemin courut vers eux et s'adressa à Robin :

– Messire, j'ai une nouvelle pour vous !

Robin reconnut le souriceau.

– Salut, George ! Dis-moi de quoi il s'agit.

– L'évêque de Hereford passera cet après-midi à travers la forêt de Sherwood accompagné de seulement vingt gardes.

– Sais-tu vers quelle **HEURE** ils viendront par ici ?

– Aux alentours de deux heures, messire. Ils se rendent à l'abbaye de Sainte-Marie.

Ravi de la nouvelle, Robin prépara aussitôt son plan d'attaque.

– Offrons un accueil *grandiose* à cet invité de *haut* rang !

Il répartit ses compagnons en trois groupes : quelques-uns resteraient avec lui, d'autres suivraient Will, d'autres encore Petit Jean et Frère Tuck. Il leur ordonna de se **CACHER** dans différents endroits.

Robin demanda à tous ceux qui étaient avec lui de se **déguiser** et choisit pour lui-même des habits de berger.

Pendant ce temps, d'autres compagnons préparèrent pas moins de deux banquets : l'un au **CAMPEMENT** et l'autre à l'endroit où se trouvait Robin. Ils firent rôtir du gibier à la broche, dont le fumet se répandit partout alentour. Soudain, l'évêque et son escorte apparurent à l'**HORIZON**. Quand il huma la délicieuse odeur, l'évêque talonna sa monture qu'il dirigea vers le banquet « improvisé ».

Il était encore bien loin quand il se mit à **crier** :

– Je vous surprends, coquins ! Que faites-vous rôtir là ?

Robin, sous son déguisement de berger, feignit l'**ÉTONNEMENT** :

– Du gibier, monseigneur ! Tout cela est pour nous, bien sûr !

L'évêque, furieux, hurla :

– Vous ne savez pas qu'il est interdit de chasser le gibier du roi ?!

Robin, continuant à jouer la comédie :

– Nous sommes de pauvres bergers, fatigués et affamés !

– Tout ce qui est dans la FORÊT appartient au roi et quiconque s'en empare doit être amené au tribunal ! SUIVEZ-moi immédiatement !

Astucieux comme toujours, Robin des Bois insista :

– Monseigneur, vous ne voulez pas manger avec nous ? Nous pourrions partager ce repas…

L'évêque était maintenant hors de lui :

– Ah, coquins ! Vous devez tous me suivre chez le shérif et vous aurez ce que vous méritez, voleurs, impertinents !

Robin, jouant toujours le pauvre berger :

– Ayez pitié, monseigneur, nous ne savions pas que c'était interdit !

Alors l'évêque ordonna à son escorte d'arrêter les bergers sur-le-champ. Mais avant que les gardes aient pu faire un geste, Robin souffla dans sa corne.

À cet appel, tous ses compagnons – qui jusque-là étaient restés cachés – accoururent.

Ce fut une bagarre très **animée**. Will, Petit Jean et même Frère Tuck s'en donnèrent à cœur joie.

Les gardes furent rapidement désarmés et l'évêque fut encerclé. Alors seulement il comprit qu'il était tombé dans un piège du **FAMEUX** Robin des Bois.

Robin cria :

– Monseigneur ! Vous êtes entre nos pattes et c'est à nous de faire justice !

Le prélat essaya de l'émouvoir :

– Ayez pitié, Robin des Bois !

– Ah ! maintenant, c'est vous qui implorez la **pitié** que tout à l'heure vous *nous* avez refusée ?! Préparez-vous. *Notre* tribunal vous attend !

UNE ADDITION...
SALÉE

Effrayés, traînant les pattes, l'évêque de Hereford et ses gardes **SUIVIRENT** Robin des Bois et ses compagnons jusqu'au quartier général de la bande. Robin ôta son déguisement, puis fit asseoir l'évêque sur un monticule couvert d'herbe.

– Désirez-vous vous laver les pattes ?

Surpris par cette courtoisie inattendue, l'évêque accepta. Mais il fut encore plus étonné quand Robin lui proposa :

– Voudriez-vous me faire le plaisir de DÉJEUNER avec moi, monseigneur ? J'ai grand faim et j'avoue que, l'estomac VIDE, j'ai du mal à rendre la justice.

L'évêque déglutit, regarda autour de lui, tenté par la proposition, et bredouilla :

– Si vous me l'ordonnez, je ne peux refuser !

Robin écarquilla les YEUX.

– Ce n'est pas un ordre, monseigneur, c'est une prière !

L'évêque répondit cette fois, RASSURÉ :

– Si c'est une prière, je ne peux que l'exaucer.

Une longue table était garnie des victuailles les plus appétissantes. L'évêque de Hereford s'emplit la panse tant et si bien qu'il en oublia ses craintes, et même l'endroit où il festoyait. Ce n'est qu'après avoir englouti le dernier plat qu'il retrouva son ARROGANCE. Il se leva de son siège confortable en s'étirant et dit :

– Bien ! Il se fait tard, maintenant. Je dois me remettre en route. Vous avez été si aimable, cher Robin des Bois, de m'offrir ce repas !

Robin, avec un SOURIRE ironique, répliqua :

– Vous offrir ? À dire vrai, monseigneur, avant de repartir, il vous faut... payer l'addition !

– Ici, nous sommes dans la FORÊT, ce n'est pas une auberge ! protesta l'évêque.

Robin le regarda droit dans les YEUX.

– Vous faites erreur. Je suis votre aubergiste et les souris que vous voyez autour de vous sont les serveurs. Or il me faut pourvoir aux besoins de tous ces gens, je suis donc contraint de demander à mes convives de payer une addition... salée !

ALOURDI par tout ce qu'il avait mangé et déconcerté par cette situation imprévue, l'évêque soupira.

– C'est entendu ! Je prends dans ma bourse un écu d'OR et je vous le donne !

Les JOYEUX compagnons de Robin éclatèrent de RIRE. Robin se tourna vers Petit Jean.

– Prends donc la bourse de l'évêque !

Petit Jean trouva tout de suite le sac de cuir.

– Il y a là-dedans trois cents écus d'or !

Robin s'inclina devant l'évêque.

– Merci pour votre grande *générosité* !

L'évêque n'essaya même pas de répliquer. Sans un mot, ses gardes et lui enfourchèrent leurs montures et s'ÉLOIGNÈRENT en direction de l'abbaye de Sainte-Marie.

UN NOUVEAU DÉGUISEMENT

Le jour suivant, Robin se mit en **CHEMIN** : il voulait prendre des nouvelles de Richard de La Plaine.

Il marchait seul sur un sentier de la FORÊT, quand tout à coup il fut SURPRIS par un bruit de cavalcade. Une voix RETENTIT :

– Robin des Bois, traître ! Rends-toi !

C'était l'évêque de Hereford ! Encore lui !

Après s'être remis du festin pantagruélique, furieux, il avait demandé à l'abbé de Sainte-Marie une escorte de cinquante rats d'armes afin de retourner donner une leçon à la bande de la FORÊT !

En un instant, Robin fut encerclé. Il semblait n'avoir aucune échappatoire, mais, encore une fois, son esprit astucieux lui fut d'un grand secours. Avec audace, il se faufila entre deux cavaliers, puis courut avec agilité à travers les buissons.

Les sbires de l'évêque, qui n'empruntaient que de larges chemins où pouvaient passer leurs chevaux, furent obligés de faire un grand DÉTOUR.

Robin, pendant ce temps, était arrivé à une chaumière isolée au milieu des ARBRES. La porte était ouverte, aussi décida-t-il d'entrer.

À l'intérieur, une petite VIEILLE *filait* à côté de la fenêtre.

Robin s'approcha d'elle et lui dit doucement :

– Ne criez pas ! Je suis Robin des Bois !

– Le généreux Robin des Bois ! s'exclama la vieille. Tu es le bienvenu ! Je n'oublie pas la souris qui a

su nous tendre la patte, à nous pauvres gens, quand nous étions dans le besoin !

Robin SOURIT.

– J'ai besoin de votre aide à mon tour, pour éviter une bataille regrettable et que le sang soit répandu inutilement.

– Dis-moi, Robin, ce que je dois faire. Je suis prête à t'aider !

Robin avait déjà réfléchi à un PLAN.

– Accepteriez-vous d'échanger vos vêtements contre les miens ?

La vieille comprit aussitôt ce qu'il avait en tête, mais elle s'étonna :

– Comment peux-tu penser qu'ils me prendront pour Robin des Bois ? Je ne peux pas d'un coup paraître aussi jeune que toi !

– Je vous assure que les soldats n'y verront que du feu. Personne ne REGARDERA autre chose que votre costume !

Aussitôt dit, aussitôt fait. La vieille échangea ses

vêtements avec les siens. Un instant plus tard, les rats de l'évêque
atteignaient la chaumière. Les
soldats abattirent la porte. L'évêque,

qui voulait se venger de l'impertinence de Robin,
fit **IRRUPTION** dans la maison juste à temps
pour voir une silhouette vêtue comme le célèbre
archer **ENJAMBER** la fenêtre.

Les cavaliers se lancèrent à sa **POURSUITE**, tandis
que le vrai Robin, plus audacieux que jamais,
imitait à la perfection la voix de la vieille fileuse en
implorant :

– Ayez pitié de ce brave souriceau !

Mais l'évêque ne prit pas la peine de **REGARDER**
qui lui parlait.

Pendant ce temps, à l'extérieur, les gardes avaient
CAPTURÉ le faux Robin et, pour être sûrs
qu'il ne s'échappe pas, ils l'avaient attaché et
bâillonné avec un mouchoir qui lui couvrait une
grande partie du museau.

– Emmenez-le à l'arbre où sa bande a l'habitude de se réunir ! ordonna l'évêque.

À pas de loup, Robin s'approcha de la porte, se glissa au-dehors sans être vu et se rendit, déguisé en vieille paysanne, jusqu'à l'ARBRE des rencontres. Il connaissait de nombreux raccourcis et il était sûr d'y arriver en premier !

NE JAMAIS SE FIER
AUX APPARENCES

Will et Petit Jean discutaient au centre d'une clairière quand ils virent une petite vieille qui **COURAIT** vers eux avec une *vivacité* extraordinaire. Petit Jean donna un coup de coude à Will l'Écarlate.

– Regarde ! As-tu jamais vu une vieille souris aussi agile ?!

– Eh ! Elle a l'air vraiment en pleine **FORME** !

Mais à cet instant, la vieille leur cria d'une voix qui leur était familière :

– Qu'est-ce que vous attendez, empotés ?! Suivez-moi ! Vite !

Will et Petit Jean **sursautèrent** et **clamèrent** dans un même élan :

– Robin ?

Celui-ci ôta son bonnet de dentelles.

– Oui, c'est bien moi !

Ce déguisement leur donnait envie de se tordre de RIRE, mais il n'y avait pas un instant à perdre ! Robin des Bois raconta à ses compagnons ce qui était arrivé et les pressa :

– Rassemblez toute la bande et apportez-moi des vêtements de rechange ! On se retrouve à l'arbre des *rencontres*.

En un instant, cent archers se **CAMOUFLÈRENT** autour du lieu du rendez-vous. Robin, entièrement vêtu de rouge, se campa devant l'arbre, immobile.

Un bruit sourd annonça l'arrivée de l'évêque de Hereford et de ses cavaliers. Quand l'évêque aperçut sous l'arbre Robin vêtu de rouge, son sang se glaça dans ses veines.

– Qui est celui-là ? hurla-t-il.

Alors la petite VIEILLE, qui était encore habillée avec les vêtements de Robin, dit de dessous son bâillon :

– Lui, c'est Robin des Bois !

L'évêque écarquilla les **YEUX**.

– Et toi, qui es-tu donc ?

Il arracha le bâillon qui couvrait le visage de la souris. Un frisson d'indignation lui parcourut l'échine : il s'était fait berner pour la seconde fois !

– En avant, preux soldats ! ordonna-t-il. Cette fois, ce **HORS-LA-LOI** ne peut pas nous échapper !

 Mais dès que l'appel de la corne VIBRA dans l'air, les archers de la bande surgirent des buissons et pointèrent leurs arcs sur les soldats.

L'évêque et ses rats d'armes comprirent qu'ils étaient tombés dans un PIÈGE !

La voix de Robin retentit alors :

– Libérez la prisonnière !

Les soldats obéirent et, en signe de reddition, ils descendirent de leurs montures en silence.

Robin dit à la vieille :

– Rentrez chez vous. Maintenant je ne peux pas, mais demain je viendrai vous remercier.

La vieille souris s'éloigna et Robin décida qu'il était grand temps de s'occuper de l'évêque de Hereford.

Bon
Appétit !

'évêque était très *préoccupé*. Comme il est facile de l'imaginer, cette situation ne lui plaisait pas du tout !

Robin des Bois s'approcha de lui en SOURIANT.

– Vous n'êtes pas content de me revoir ?

– Sieur Robin, répondit l'évêque, je suis un de vos ennemis et je comprends que vous ayez envie de vous venger après ce que j'ai tenté de vous faire. Mais je vous donne ma parole que si vous me laissez repartir, je ne chercherai plus jamais à vous NUIRE.

– Monseigneur, répondit Robin, je ne supporte pas la VIOLENCE et je n'attaque jamais le premier. Simplement, je défends ma vie et celle de mes compagnons. Je n'ai pas de rancune. Donc vous êtes libre... mais à deux conditions !

L'évêque, soulagé, s'empressa de demander :

– Dites-moi quelles sont ces conditions et je serai ravi de les satisfaire !

Robin pesa bien ses mots :

– Vous devez promettre de respecter l'indépendance de tous les rongeurs qui vivent avec moi dans cette forêt et de ne plus jamais essayer de me TUER.

L'évêque de Hereford poussa un long SOUPIR de soulagement. Il pensait s'en être tiré à bon compte.

– Je vous le promets de toute mon âme. Votre liberté sera toujours respectée, par mes rats comme par moi-même !

Robin le remercia :

– Fort bien. Maintenant, vous êtes libre de partir. Mais vous ne voudriez pas d'abord manger quelque chose avec nous ?

L'évêque, qui se souvenait fort bien de la façon dont s'était terminé le repas de la veille, s'**EMPRESSA** de refuser :

– Non, je ne veux absolument rien ! Je n'ai ni FAIM ni soif et je ne désire qu'une seule chose : m'en aller !

Robin des Bois l'arrêta :

– Libre à vous, mais avant que vous repartiez, je dois vous demander de payer l'addition !

– Mais je n'ai ni mangé ni bu !

– Certes, mais nous vous avons accueillis, vous et votre escorte. Vos chevaux ont sûrement été désaltérés et rassasiés.

Petit Jean se DIRIGEA vers le cheval de l'évêque et demanda, d'un ton moqueur :

– La bourse est toujours à sa place habituelle ?

Le butin était vraiment important : cinq cents écus d'or !

L'évêque tenta de **DÉFENDRE** son bien.

– Vous ne pouvez pas tout me prendre ! Vous ne pouvez pas me voler ainsi !

   – Nous ne sommes pas en train de vous voler, rétorqua Robin des Bois. C'est vous le voleur, c'est vous qui avez pris cet argent au peuple des souris ! Nous ne faisons que vous le reprendre pour le distribuer à ceux qui en ont besoin.

Le rat d'Église, sans plus opposer de résistance, laissa Petit Jean s'emparer du butin.

Robin l'invita alors à nouveau à déjeuner et l'évêque répondit, DÉPITÉ :

– Je sens que j'ai maintenant assez d'appétit pour accepter votre proposition.

Cette fois encore, le rat d'Église mangea si gou-
lûment que quand il se leva de table, il avait les
pattes toutes *flageolantes*.
Les moines de l'abbaye de Sainte-Marie
firent une drôle de **TÊTE**
quand ils le virent arriver, vers le soir,
une nouvelle fois étourdi d'avoir trop
mangé...

MARIANNE
EST DE RETOUR

Quelques jours plus tard, Robin des Bois quitta le campement. Cette fois, la cause du **VOYAGE** n'était pas liée à sa vie de HORS-LA-LOI, mais à des affaires... sentimentales !

Il avait appris en effet que lady Marianne, cousine du roi **Richard Cœur de Lion**, était rentrée de Londres, où elle vivait depuis quelques années. Robin connaissait *lady Marianne* depuis qu'ils étaient souriceaux et il désirait terriblement la revoir, après tant d'années !

Il partit donc, en compagnie de Petit Jean. Lorsqu'ils se trouvèrent devant la porte du château de lady Marianne, il sentit son cœur battre comme un tambour. Que lui arrivait-il ? Petit Jean **SOURIAIT** tout en **OBSERVANT** discrètement son ami.

Quand Robin vit lady Marianne, il mit un genou à terre et lui baisa la patte. Il était si *ému* !

Marianne était plus belle que jamais. Robin avait mille choses à lui raconter : ses **AVENTURES**, la vie dans la forêt, comment il aidait les pauvres gens… Il ne savait pas par où commencer. Heureusement, il n'eut pas besoin de parler. Marianne l'invita à se **relever** et, le regardant dans les yeux, elle soupira :

– Oh, Robin, j'ai tellement entendu parler de toi, de tes hauts faits, de ton courage… et je suis si *fière* de ce que tu as accompli !

73

– Alors tu sais que j'ai beaucoup d'**ennemis**.

– N'oublie pas que je suis la cousine du roi ! J'*écrirai* à notre souverain Richard, même s'il est loin, et je demanderai que justice te soit rendue. Je vais d'ailleurs envoyer une de mes dames de compagnie à Londres. Je connais là une personne de *confiance* qui saura lui faire parvenir ma lettre.

Cette promesse faite, Marianne écrivit aussitôt une **longue** lettre et la remit à une damoiselle.

Pour Robin, ce fut une **journée** enchanteresse. Tous deux passèrent des heures entières à se rappeler leur enfance insouciante, les mille **tours** et les jeux qui les amusaient alors.

Sur le chemin du retour, Robin des Bois se sentait la plus heureuse des souris de la terre.

Lady Marianne était entrée pour toujours dans son cœur.

L'ENLÈVEMENT DE MARIANNE

Le *bonheur* de Robin des Bois n'était pas, hélas, destiné à durer.

En effet, alors qu'elle **CHEVAUCHAIT** vers Londres, la damoiselle envoyée par Marianne fut arrêtée par les gardes du **shérif**, qui lurent le message qu'elle portait. Ensuite, obéissant aux ordres de ce rat **PERFIDE**, ils se précipitèrent au château de *lady Marianne* et enlevèrent la gente dame !

Elle essaya de résister de toutes ses **FORCES**. Elle **cria** :

– Vous commettez une grave erreur ! Quand le roi **Richard**, mon cousin, l'apprendra, vous le regretterez !

Mais les soldats lui répondirent en **GRIMAÇANT** et en se moquant :

– Le roi Richard est très loin et il ne le saura jamais !

Heureusement, des compagnons de Robin virent ce qui se déroulait et **COURURENT** prévenir leur chef. Robin des Bois tressaillit.

– Ils ont enlevé Marianne ! Il faut **AGIR** immédiatement !

Il était fou d'angoisse : *Marianne, sa tendre Marianne, sa bien-aimée !*

Il fallait imaginer un plan pour la sauver. Ils décidèrent d'**ABATTRE** un gros chêne et de le traîner par des raccourcis jusqu'à un endroit de la forêt que les ravisseurs devaient forcément traverser.

Quand les ravisseurs trouvèrent le chemin barré, ils regardèrent autour d'eux, très étonnés.

– Qu'est-ce qu'il se passe ?

Ils n'avaient pas fini de s'interroger quand Robin et ses compagnons surgirent, leurs ARCS pointés sur eux.

Marianne poussa un grand cri de joie.

– Vous ne savez pas qu'on n'enlève pas les nobles dames ? lança Robin aux rats du shérif sur un ton méprisant. Libérez-la immédiatement !

Les soldats, se souvenant des leçons que Robin leur avait par le passé infligées, décidèrent de s'ENFUIR, laissant là *lady Marianne*. Plutôt affronter la colère du shérif que celle de Robin des Bois !

Marianne sauta au cou de son ami, au comble de la joie.

– Merci ! Tu m'as libérée ! Comment pourrai-je te remercier ? s'exclama-t-elle.

Robin des Bois n'avait jamais reçu remerciements plus agréables !

Mais il restait un problème à résoudre.

– Marianne, te rends-tu compte que désormais tu ne seras plus jamais en sécurité dans ton château ?

La jeune souris *rougit* un peu et répondit :

– Alors il ne me reste qu'à venir vivre avec toi dans la FORÊT de Sherwood. J'y serai en sécurité, bien plus que n'importe où ailleurs en Angleterre !

Robin des Bois sentit la joie exploser dans son cœur.

N'était-ce pas le meilleur moment pour déclarer sa flamme ?

Pour la seconde fois, il se mit à genoux.

– *Veux-tu être ma fiancée ?*

Les quelques secondes de silence qui suivirent lui semblèrent longues comme des heures.

Puis Marianne SOURIT doucement et lui dit :

– Je désirais si fort que tu me le demandes !

Robin bondit sur ses pattes.

– Marianne, tu as fait de moi la souris la plus heureuse de la terre !

Et ce fut ainsi que Marianne vint VIVRE dans la forêt de Sherwood, qui devint pour elle l'endroit le plus beau du monde.

UN AUTRE DÉGUISEMENT

uelques jours plus tard, Will l'Écarlate, Petit Jean et Frère Tuck se rendirent à Barnsdale. *CHEMIN* faisant, ils s'amusaient du DÉGUISEMENT de Robin des Bois lorsqu'il s'était payé la tête de l'évêque de Hereford. Ils se racontaient les nombreuses prouesses et astuces de leur chef. Il était vraiment très malin !

De toutes ses **AVENTURES**, celle que Petit Jean préférait était celle où Robin s'était déguisé en boucher pour jouer un tour au shérif de Nottingham. Il la raconta à ses compagnons...

C'était une période d'**AFFREUSE** disette, la nourriture manquait dans tout le comté. La viande, en particulier, était devenue très rare et coûtait si cher qu'il n'y en avait presque jamais sur la table des pauvres. La situation était vraiment désespérée et Robin avait décidé de faire quelque chose pour aider ceux qui n'arrivaient plus à manger de temps à autre un vrai repas. Un matin, un boucher passait avec sa charrette à travers la FORÊT de Sherwood. Robin surgit devant lui et lui fit signe de s'arrêter.

Le boucher, qui reconnut le célèbre archer, lui dit :

– Je ne suis pas riche ! Je te donnerais volontiers tout mon chargement, mais j'ai besoin de vendre cette viande pour faire vivre ma nombreuse famille !

Robin, honnête comme toujours, lui répondit :
_ JE NE VEUX RIEN TE PRENDRE. Je veux seulement que tu me vendes ta charrette, son chargement et tes vêtements.

Ils se mirent très vite d'accord pour une somme raisonnable, et Robin, déguisé en boucher, se mit en route avec la charrette vers le **MARCHÉ** de la ville.

Il fit une halte à l'auberge préférée du shérif, où tous les marchands avaient l'habitude de se réunir pour manger, et il offrit à l'aubergiste un beau quartier de viande. Il était sûr d'obtenir en retour sa SYMPATHIE et sa protection.

Puis il se dirigea vers la place du marché, installa son étal et se mit à vendre la viande à un prix très bas.

Les autres bouchers pensèrent que ce nouveau venu était un fou, qui n'allait pas tarder à se ruiner. Ils décidèrent de l'y aider en lui envoyant tous ceux qui se *plaignaient* que la viande était trop chère.

Bientôt se forma autour de son étal une FOULE de rongeurs pauvres, ravis de pouvoir acheter quelque chose d'aussi nourrissant à se mettre sous la quenotte.

Comme il est facile de l'imaginer, l'attitude de ce boucher bizarre et inconnu suscita l'intérêt de l'ensemble des marchands, qui l'invitèrent à déjeuner afin de mieux le connaître.

– Vous êtes tous mes invités, rendez-vous à l'auberge ! proposa à son tour Robin des Bois.

Les plats arrivèrent, copieusement servis. Les convives étaient d'humeur joyeuse. Ils riaient et plaisantaient tout en parlant affaires et prix du gibier, qui ne cessait d'augmenter.

Le shérif était lui aussi à l'auberge et il les observait de loin. Ce qu'il entendait excitait de plus en plus sa **CURIOSITÉ**, et l'idée lui vint de profiter de ce boucher si bête et si naïf.

Alors que le déjeuner touchait à sa fin, le shérif s'assit à la table de Robin et lui demanda :

– Dites-moi, boucher, auriez-vous par hasard du gibier à me vendre ?

Robin comprit que son plan fonctionnait et répondit :

– Mais certainement ! J'ai encore un millier de têtes et je pourrais vous les vendre pour cinq cents écus d'OR.

C'était un prix incroyablement bas, mais le shérif, qui était avare, **marchanda** :

– Je peux vous en donner *TOUT DE SUITE* trois cents ! Par les temps qui courent, mieux vaut avoir de l'or que du gibier, n'est-ce pas ?

Ils discutèrent un moment, jusqu'à ce que le shérif, de plus en plus intéressé par l'affaire, propose au boucher :

– Si vos terres ne sont pas très loin, nous pourrions aller maintenant voir vos bêtes ! J'apporterai les trois cents écus d'or, et peut-être pourrons-nous conclure l'accord aujourd'hui même.

Robin ne se le fit pas dire deux fois :

– Nous pouvons partir **IMMÉDIATEMENT**. Ce n'est qu'à une demi-heure de route !

Mais le shérif était un rat méfiant :

– Je connais bien le **TERRITOIRE** alentour… Si vous me donnez le nom de votre domaine, je suis sûr que je le reconnaîtrai.

Robin était trop malin pour tomber dans ce piège. Il prit un air mystérieux et répliqua :

– Je préfère garder l'anonymat. Je suis riche et je ne voudrais pas trop attirer l'attention.

Finalement, Robin et le shérif se mirent en route et s'enfoncèrent dans la FORÊT de Sherwood.

Ils s'approchaient d'une clairière quand Robin s'écria :

– Nous y voici ! Vous voyez ici une partie de mon domaine !

Le shérif commença à s'inquiéter :

– Vous plaisantez ! Cette forêt appartient au roi et tout ce qu'elle contient est à lui. C'est aussi un endroit très DANGEREUX et infesté de bandits. C'est ici que vivent le terrible Robin des Bois et sa bande !

Robin fit mine de rien et l'invita à regarder des cerfs qui se promenaient *tranquillement*.

– Et LÀ-BAS, vous voyez quelques-unes de mes bêtes !

– Sieur étranger, je n'apprécie pas votre manière de plaisanter et je vous prie de me dire votre nom !

Le faux boucher SOURIT, ôta son chapeau et se présenta :

– Je suis Robin des Bois !

Le shérif *PÂLIT* et faillit s'évanouir. Il tenta de se RESSAISIR, mais Robin avait déjà porté sa corne à sa bouche. À son appel, une armée d'archers surgit et les encercla.

– Mes amis, leur dit Robin, nous avons aujourd'hui le plaisir d'avoir parmi nous rien de moins que le shérif de Nottingham, qui désire **VISITER** nos réserves de gibier et dîner avec nous.

– Mais je n'ai pas du tout l'intention de m'arrêter pour **dîner** ! protesta le shérif.

– Ne vous faites pas de souci : nous allons préparer pour vous les meilleurs plats et nous sommes persuadés que vous paierez *généreusement*.

– Comment cela ? Pourquoi devrais-je payer alors que c'est vous qui m'invitez ?

Robin se mit à lui expliquer toutes les règles de l'hospitalité de Sherwood :

– Les amis qui restent dîner avec nous ne paient

rien s'ils sont pauvres. Mais pour les riches tels que vous, la note est un peu SALÉE... Votre repas, shérif, vous coûtera donc les trois cents écus d'or que vous avez apportés !

Le shérif n'avait pas le choix. Il prit place à table, mais il ne mangea presque RIEN, puis il repartit au plus vite, la queue entre les pattes.

LE JOUR
OÙ PETIT JEAN...

Robin des Bois n'était pas le seul à aimer se déguiser. Petit Jean le faisait également de temps à autre, pour jouer un **tour** à quelque riche fripouille.

Un jour, Petit Jean paria avec Robin que lui aussi parviendrait à se faire passer pour un autre sans être **reconnu**.

L'occasion se présenta quand un seigneur des environs mourut. Lors des FUNÉRAILLES, l'usage était de faire la charité aux pauvres, qui accouraient toujours en grand nombre.

Petit Jean s'enfonça sur la TÊTE un **CHAPEAU**
tout cabossé, enfila un manteau de pèlerin, jeta un
sac sur son dos et se munit d'une bourse pour les
aumônes. Il n'oublia pas non plus de prendre un
BÂTON de marche.

Il se mit en route et, chemin faisant, il rencontra
un petit groupe de mendiants.

Il y avait un boiteux, un aveugle et trois autres
bougres. Petit Jean s'approcha et leur demanda :

– Où allez-vous ainsi ?

L'un d'eux, de très **MAUVAISE** humeur, répliqua :

– Nous suivons la route.

Même s'ils ne lui paraissaient pas très aimables,
Petit Jean insista :

– Vous aussi vous vous rendez aux
FUNÉRAILLES ?

Un deuxième mendiant, un peu plus
gentil, lui répondit :

– Nous allons voir s'ils distribuent des aumônes.
Si tu veux, tu peux venir avec nous.

– Volontiers !

Mais un troisième, **malpoli**, cria :

– Nous ne voulons pas de ta compagnie !

Disant cela, il donna à Petit Jean un COUP de
bâton.

Les quatre autres s'y mirent aussi, et bientôt ce fut
un grand vacarme de bâtons s'entrechoquant.

Petit Jean n'était certainement pas du genre à se
laisser **impressionner** et il savait se
défendre.

Dans la bagarre, il heurta la bourse du boiteux,
qui se déchira et laissa échapper une avalanche
de pièces de monnaie... Et... Surprise !
Soudain, le boiteux s'agenouilla pour ramasser
son trésor, l'aveugle chercha les pièces parmi
les cailloux, et les trois autres firent ce qu'ils
pouvaient pour récupérer l'argent.

C'étaient de faux mendiants, de faux pauvres !
De sacrées fripouilles ! Ils méritaient une bonne
leçon !

Petit Jean parvint à les mettre en fuite. Après quoi,
il empocha les pièces qui étaient par **TERRE** :
il y avait six cents écus d'or !

Satisfait, Petit Jean revint sur ses .

Il rejoignit Robin des Bois et ses compagnons,
qui s'exerçaient au tir à l'**ARC**.

– Déjà de retour, Petit Jean ?

– Me voilà ! et j'ai en poche un riche **BUTIN**.
Une bourse pleine d'or !

– Comment as-tu trouvé autant d'argent en si peu
de temps ?

– J'ai détroussé des mendiants !

Robin **sursauta**. Lui dire cela à lui, qui
était le défenseur des **faibles** et des plus
démunis !

Indigné, il questionna Petit Jean :

– Tu as volé de pauvres gens ?

Mais quand Petit Jean lui expliqua qu'il avait démasqué des scélérats, Robin et ses compagnons lui firent *fête*, et le soir même une grande partie des six cents écus fut distribuée aux pauvres qui vivaient aux abords de la forêt.

UNE FORCE PRODIGIEUSE

Un jour, Robin des Bois inspectait la FORÊT en compagnie de Will l'Écarlate, quand ils croisèrent Frère Tuck, essoufflé et tout en sueur. On aurait dit que quelqu'un était à sa POURSUITE.

– Frère Tuck ! Qui donc te court après ?

Frère Tuck s'arrêta, HALETANT, et il expliqua :

– Personne ! J'ai défié Petit Jean pour un combat au BÂTON et j'ai pris peur ! Il a une force prodigieuse !

Robin ne put s'empêcher de RIRE. Tous savaient que Petit Jean était un des plus forts de la bande !

– Tuck, si tu m'en avais parlé, je t'aurais mis en garde ! Petit Jean est tellement **FORT** qu'une fois il a même gagné un combat contre moi ! Assieds-toi et reprends ton souffle. Je vais te raconter comment j'ai connu Petit Jean…

Un après-midi, je me **PROMENAIS**, comme à mon habitude, dans la forêt de Sherwood, quand j'aperçus une souris très grande et très **GROSSE** occupée à observer les lièvres et les perdrix qui batifolaient dans une clairière. C'était un géant. Il avait l'air **BRAVE**, mais paraissait aussi très déterminé. J'eus envie de le connaître et je m'approchais de lui. L'idée me vint de le mettre au **DÉFI**, pour évaluer son courage et son honnêteté.

Je me plantai devant lui et le provoquai :
– Que fais-tu ici ? Cette forêt est à *moi* !

Mais Petit Jean ne se laissa pas *troubler* pour si peu !

– Essaye un peu de me chasser. Je n'ai **PEUR** de rien ni de personne.

En somme, il avait du caractère. Comme je suis curieux, je continuai à le **narguer** :

– Ici, c'est moi qui fais respecter la loi.

– Bravo ! Alors montre-moi comment tu t'y prends !

Petit Jean s'était saisi d'un **BÂTON** et je fis de même. Nous engageâmes le combat, mais Petit Jean me donna du **FIL** à retordre. Alors que je me sentais complètement épuisé, lui avait l'air frais comme la rose !

Au bout de quatre heures de lutte ininterrompue, j'abdiquai :

– C'est assez pour moi !! On arrête le combat ! Tu peux te promener où ça te chante ! Tu as gagné ce droit par ta **FORCE** et ton habileté. Maintenant, dis-moi comment tu t'appelles.

– Mon nom est Jean, mais tout le monde m'appelle Petit Jean. Comme tu le vois, je sais me défendre tout seul et je n'ai pas besoin de ton *autorisation* pour aller et venir comme il me plaît.

– Peut-être ne connais-tu pas cet endroit et ne sais-tu pas combien il est DANGEREUX. D'où viens-tu ?

– Je vis à Nottingham, mais j'ai dû prendre la **FUITE**. Le vilain rat pour qui je travaillais m'a accusé de FAUTES que je n'avais pas commises. J'ai réagi et j'ai été contraint de quitter la ville. Vous savez bien que je ne supporte pas la malhonnêteté, en particulier celle que pratiquent les puissants. Je lui proposai alors :

– Si tu veux, tu peux te joindre
à notre bande. Je m'appelle
Robin des Bois.

– Tu es Robin des Bois ?! Ça
alors ! J'étais justement à ta
recherche ! Je veux devenir un
de tes compagnons et défendre
les pauvres et la justice.
Nous échangeâmes une belle
poignée de patte.

Depuis lors, Petit Jean est devenu mon
meilleur ami et l'inséparable compagnon de
mille **AVENTURES**. Et jamais plus je ne l'ai
défié en duel !

CETTE FOIS
OÙ GASPARD...

e récit de la rencontre, bien des années auparavant, entre Petit Jean et Robin avait beaucoup plu à Will l'Écarlate et à Frère Tuck. Se sentant lui aussi d'humeur à *raconter* des histoires, ce dernier demanda :

– Robin, après cette leçon que t'a infligée Petit Jean, t'est-il encore arrivé d'être **VAINCU** ?

– Bien sûr ! Ça arrive à tout le monde de perdre la partie. Par exemple, une fois, je me suis fait **battre** à plate couture par Gaspard, le ferblantier.

Ses deux amis **ÉCARQUILLÈRENT** les yeux

de surprise. Alors Robin raconta cette nouvelle histoire...

– Un matin, j'aperçus une souris qui marchait le museau en l'air et semblait chercher quelqu'un, ou quelque chose, parmi les **FRONDAISONS**. Vous savez comme je suis curieux envers ceux que je croise sur mon chemin. Je me déguisai en mendiant et marchai à sa rencontre, à l'orée de la FORÊT. Je l'abordai et lui demandai qui elle était, ce qu'elle cherchait.

– Je m'appelle Gaspard et je suis ferblantier. Je vends et je répare des ustensiles et des casseroles. Mais bientôt, je serai riche !

– Vraiment ? Et comment comptez-vous vous y prendre ?

– J'ai là dans ma besace un ordre d'arrestation visant un bandit nommé Robin des Bois, signé du roi en personne. Je veux le trouver, lui passer les menottes et l'amener au shérif. Je toucherai alors la récompense. C'est une jolie somme !

Alors, en faisant bien attention de ne pas révéler mon **identité**, je lui dis :

– Mais sauriez-vous reconnaître ce Robin des Bois ?

– Je ne l'ai jamais vu, hélas ! me répondit Gaspard. Mais vous, peut-être le connaissez-vous ?

– Non, mais je me rends à Nottingham et je suis sûr qu'aujourd'hui Robin sera en **VILLE**. Si vous voulez, vous pouvez m'accompagner.

– Partons tout de suite ! se réjouit Gaspard. Si vous m'aidez à capturer Robin, je vous donnerai la moitié de la récompense.

Nous nous mîmes en route et, PETIT À PETIT, nous sympathisâmes. Gaspard m'invita à DÉJEUNER chez un aubergiste de ses amis.

À l'auberge, le ferblantier mangea avec appétit. Tout en se remplissant la panse, il rêvait les yeux ouverts, parlant tout haut :

– Quand j'aurai capturé Robin des Bois et libéré la forêt de Sherwood, le roi me tiendra en grande estime. Il me rendra riche et célèbre. Je pourrai peut-être même épouser une princesse...

Moi, je l'écoutais en faisant tout mon possible pour ne pas RIRE. Puis quand, alourdi par son déjeuner trop COPIEUX, Gaspard tomba dans un profond sommeil, je dis à l'aubergiste, en lui faisant un CLIN D'ŒIL :

– Quand il se réveillera, tu lui feras payer l'addition et tu lui diras que Robin des Bois l'attend dans la FORÊT !

L'aubergiste éclata de rire.

Lorsque Gaspard se réveilla et DÉCOUVRIT la vérité, il se précipita sur-le-champ à Sherwood, afin de passer la forêt au peigne fin et de s'emparer de moi.

Je le laissai chercher quelques heures, puis je décidai de me MONTRER.

Aussitôt, il se jeta sur moi. La bagarre fut acharnée, car la honte de s'être fait berner l'avait rendu si furieux que je dus SOUFFLER dans ma corne pour appeler des renforts.

Quand nous parvînmes enfin à le calmer, je lui dis :

– Gaspard, tu es **FORT** et courageux. Nous défendons les faibles et ton aide pourrait nous être précieuse. Si tu veux, tu peux rester avec nous pour servir l'honnêteté et la justice !

Gaspard, qui dès notre rencontre avait ressenti pour moi de la SYMPATHIE, accepta avec enthousiasme et devint dès lors un des membres les plus fiables (et les plus costauds) de notre bande !

UN PAUVRE MOINE
PÈLERIN

Robin des Bois poursuivait son inspection de la forêt avec ses compagnons, lorsqu'il aperçut, toute seule sur le chemin, une souricette qui pleurait désespérément.

Il s'approcha d'elle et, de sa voix la plus *douce*, il lui demanda :

– Pourquoi pleures-tu ? Que t'est-il arrivé ?

La petite, s'efforçant de calmer ses sanglots, lui dit d'une voix implorante :

– J'ai besoin de parler de toute urgence à Robin des Bois. Je vous en prie, ayez la bonté de me mener à lui, si vous le connaissez.

– Il est devant toi ! Je suis Robin des Bois. Comment puis-je t'aider ?

Elle le regarda avec des **YEUX** pleins d'espoir.

– Mes frères sont vos amis. Ce matin, ils ont essayé de **DÉFENDRE** un pauvre souriceau que les soldats du shérif avaient injustement arrêté. Maintenant, heureusement, ce souriceau est libre, mais mes trois frères ont été **CAPTURÉS**, et déjà on dresse le gibet sur la place pour les pendre !

Robin frémissait d'indignation.

– Comment s'appellent tes frères ?

– Adalbert, Edelbert et Edroin.

– Mais ils sont parmi les compagnons les plus valeureux de la bande ! s'exclama Robin. N'aie pas peur, nous allons faire tout notre possible ! D'ici peu, ils seront sains et saufs. Rentre chez toi et rassure tes parents. Tu verras que tes frères **REVIENDRONT** très vite.

La souricette, soulagée, le remercia de tout son cœur et retourna chez elle en **HÂTE**.

Will l'Écarlate et Frère Tuck s'approchèrent de leur chef, attendant des instructions.

– Courez chercher Petit Jean ! Prévenez tous ceux que vous pouvez. Prenez bien garde à ne pas vous faire voir. Rendez-vous dans le petit **BOIS** tout près de Nottingham. Quand vous entendrez l'appel de ma corne, accourez tous !

Inquiet, mais décidé à sauver ses amis à tout prix, Robin partit au pas de course vers la ville.

Sur la route, il rencontra un **vieux** moine qui s'en revenait de Nottingham. Il lui demanda :

– Frère, savez-vous quelque chose à propos de l'exécution de trois souriceaux ?

– Les nouvelles de Nottingham sont très, très tristes, mon fils ! Le shérif est un seigneur cruel et **VIOLENT** !

Robin observa attentivement le moine et lui fit cette requête :

– Cher frère, accepteriez-vous d'échanger vos vêtements contre les miens ?

Étonné, le moine répondit :

– Ma robe de bure est usée jusqu'à la corde tandis que tes vêtements sont comme neufs !

Robin plongea la patte dans une bourse de cuir ATTACHÉE à sa ceinture et lui offrit quelques pièces d'or.

– Acceptez ceci pour votre couvent et, je vous prie, donnez-moi votre robe de bure. J'en ai besoin pour accomplir une *bonne* action.

Le frère ne se le fit pas dire deux fois et, quelques minutes plus tard, Robin des Bois marchait en direction de la ville dans un habit de moine.

Sur la place où le gibet avait été dressé régnait une grande agitation. Une rumeur circulait : le

bourreau était malade et l'on ne trouvait personne pour le remplacer et procéder à l'exécution. Robin saisit l'occasion au vol.

Se frayant un chemin parmi la foule, il abaissa son capuchon de moine sur son visage et s'approcha du shérif de Nottingham. Il lui demanda, en DÉFORMANT sa voix :

– Puis-je, messire, vous proposer de tenir le rôle du bourreau ?

Le shérif le regarda et, remarquant sa robe toute RAPIÉCÉE, il fit une grimace dégoûtée.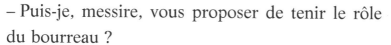

– Je vois que vous n'avez pas d'habits corrects ! Si vous vous chargez de ce travail, je vous donnerai six robes de bure neuves et treize écus d'or.

Robin accepta le marché et se dirigea vers l'estrade de bois, où les condamnés attendaient déjà. Il monta les quelques marches... puis ôta sa capuche et souffla dans sa corne. Aussitôt, une pluie de **flèches** s'abattit sur les gardes, qui abandonnèrent leurs armes. Alors le shérif, tout *PÂLE*, les moustaches **FRÉMISSANT** de rage, hurla :

– C'est Robin des Bois ! **Attrapez-le !**

Robin fit une profonde révérence et partit en courant, suivi des trois prisonniers dégagés de leurs liens, tandis que ses compagnons couvraient sa **fuite**.

EN ATTENDANT SIR RICHARD

Il y avait un an que Robin des Bois avait fait la connaissance de sir Richard de La Plaine.

Robin et ses deux fidèles compagnons, Will l'Écarlate et Petit Jean, étaient assis sur les grosses racines de l'arbre des rencontres.

Will était **PESSIMISTE** :

– Vraiment, je ne crois pas qu'il viendra…

Petit Jean, au contraire, gardait **ESPOIR** :

– Et moi, je pense qu'il nous rendra **VISITE**…

Robin écouta ses amis, puis il parla :

– Je préfère penser que sir Richard de La Plaine ne nous a pas trompés. Je l'attendrai jusqu'à ce que les premières ÉTOILES brillent dans le ciel. Mais si le chevalier ne se montre pas, alors j'en serais ATTRISTÉ, comme si j'avais perdu un ami. Je préférerais le voir arriver les pattes VIDES, plutôt que de devoir admettre son ingratitude.

Les heures s'écoulèrent dans le silence de la forêt. À la fin de la matinée, Robin se leva et dit :

– Will, Petit Jean ! Prenez quelques archers avec vous et DISPERSEZ-vous à travers la forêt. Trouvez-nous un « invité » pour le déjeuner.

Will l'Écarlate et Petit Jean se mirent en chemin, et bientôt rencontrèrent un groupe formé de deux moines à cheval, d'un petit âne chargé de sacs et d'une escorte de gardes. Sûrement ils transportaient un trésor !

Petit Jean se campa en travers du chemin.

– Halte là !

Les gardes, surpris, reculèrent, laissant l'âne et les moines sans protection.

Le plus ÂGÉ des deux moines amorça le dialogue :

– Que nous voulez-vous ? Nous ne sommes que d'humbles religieux.

– Depuis des heures notre chef vous attend pour déjeuner et les plats commencent à refroidir, répondit Petit Jean.

– Vous faites sûrement erreur. Nous ne sommes attendus par personne.

– Mon bien cher frère, croyez ce que je vous dis et DÉPÊCHEZ-vous. Robin des Bois n'aime pas les retardataires.

Le moine sursauta.

– Robin des Bois ? Mais… c'est un brigand !

Petit Jean se dressa de toute son imposante carcasse et se fâcha tout **ROUGE** :

– Robin n'est pas un voleur ! Vous pouvez venir sans *crainte*, vous n'avez pas besoin de votre escorte.

Pendant que Petit Jean parlait, Will tendit son arc. Aussitôt, les accompagnateurs des moines, effrayés, s'**ENFUIRENT** au galop.

Quand Robin, qui était toujours assis sous l'ARBRE des rencontres, vit arriver les moines escortés par Petit Jean et Will, il bondit sur ses pattes et demanda :

– Bien chers *frères*, de quel monastère venez-vous ?

Le frère le plus âgé répondit :

– Nous sommes de l'abbaye de Sainte-Marie. Je suis le frère économe, qui s'occupe des finances, et voici le frère pitancier, chargé des provisions.

– Ce sera pour nous un plaisir d'avoir à déjeuner deux hôtes aussi importants. Mettez-vous à l'aise, je vous prie.

Et, joignant le geste à la parole, Robin les conduisit vers le **campement**, où tout était prêt pour le déjeuner. Les deux moines étaient dotés d'un robuste appétit, d'une soif formidable, et par conséquent d'une langue bien pendue.

Quand ils eurent englouti la dernière bouchée, Robin leur dit :

– Voilà, ce repas est terminé. Maintenant, nous pouvons parler d'argent.

Un des deux moines ouvrit des yeux **RONDS** comme des billes.

– De quel argent ?

– Aujourd'hui, voyez-vous, nous attendions la visite d'un ami de votre abbé. Ce chevalier devait nous apporter le solde d'une dette. Nous avons donc pensé que le trésor que vous transportiez était destiné à nos coffres !

– Mais quel trésor ? protesta le moine. Nous avons tout au plus vingt écus d'or.

– Si vous êtes vraiment aussi dépourvus que vous le dites, je ne vous priverai pas même d'un gramme de votre or. Mais si vous avez menti, alors je ne vous en laisserai pas la moindre poussière. Petit Jean, s'il te plaît, assure-toi que ces moines sont sincères.

Petit Jean entreprit d'inspecter la charge de l'âne, et bientôt il annonça :

– **Huit cents écus d'or !** Je les ai trouvés dans le premier sac et je n'ai pas encore ouvert les autres !

Les moines devinrent tout PÂLES.

– Bien chers frères, leur dit Robin, prenez vos chevaux et décampez ! MERCI pour vos largesses. Et surtout n'oubliez pas de saluer votre abbé de ma part !

UNE PROMESSE
EST UNE PROMESSE !

a poussière soulevée par les chevaux des moines ne s'était pas encore dissipée qu'un des compagnons, perché tout en haut d'un arbre, s'écria :

– Un groupe de rats armés vient vers nous au GALOP !

Robin évalua rapidement la situation.

– Nous ne savons pas si ce sont des amis ou des ennemis. Ordonnez aux archers de se CACHER. Quant à moi, je vais attendre ces visiteurs à l'ARBRE des rencontres.

– Je viens avec toi ! s'écria Petit Jean.

– Je viens moi aussi ! ajouta Will.

Le groupe qui s'approchait comptait de nombreux cavaliers. Les chevaux hennissaient et **PIAFFAIENT** dans un fracas impressionnant.

Les montures RALENTIRENT progressivement leur allure et s'arrêtèrent lorsqu'ils furent à portée des **flèches** de Robin. Alors un cavalier se détacha du groupe et s'avança.

– C'est sir Richard de La Plaine ! s'écria Will. Quel *bonheur* ! Ils avaient tellement espéré qu'il revienne !

Sir Richard **COURUT** vers Robin et le serra dans ses bras.

– Pour rien au monde je n'aurais manqué notre rendez-vous, mon ami !

– Vos affaires se portent mieux, à ce qu'il me semble, sir Richard ! Je vous vois *élégamment* vêtu et en grand équipage. Vous ne pouvez IMAGINER combien je suis content pour vous !

– Sans votre aide, je n'aurais jamais pu espérer retrouver la prospérité d'autrefois ! Je vous apporte cinq cents écus d'or, ainsi que des arcs et des flèches pour toute la compagnie. De plus, tous les soldats que vous **VOYEZ** ici m'ont suivi pour se joindre à votre bande et vous aider dans votre mission de défenseur de la justice.

Robin des Bois était sincèrement ému :

– Je ne peux vraiment pas accepter ! Vous êtes très aimable, mais une telle abondance de cadeaux est excessive. Nous ne manquons de rien et je préfère que vous mettiez vos biens à la disposition de vos enfants.

Ils se serrèrent de nouveau dans les bras l'un de l'autre, comme pour sceller leur **AMITIÉ**, puis Robin ajouta :

– Maintenant, je vous prie, racontez-moi ce qui s'est passé depuis ce jour où je vous ai prêté de l'argent pour régler votre dette.

Alors sir Richard raconta qu'après avoir quitté Robin il s'était précipité à bride abattue à l'abbaye de Sainte-Marie. Le délai pour rembourser la dette expirait à midi et il ne restait plus que quelques minutes avant que les douze coups **RETENTISSENT**.

Sir Richard avait trouvé l'économe de l'abbaye et l'abbé, qui, en présence du juge, s'apprêtaient à *signer* les documents qui le dépouilleraient de tous ses biens au profit du monastère. Comprenant qu'ils espéraient qu'il n'aurait pas tenu parole, sir Richard s'était senti profondément offensé par l'avidité de ces rats d'Église.

Il avait donc décidé de leur jouer un TOUR à sa façon. Il s'était avancé dans la grande salle en prenant un air ACCABLÉ.

L'abbé s'était adressé à lui avec brusquerie :

– Alors, La Plaine, vous avez apporté l'argent ?

– Malheureusement, MONSIEUR L'ABBÉ, je n'ai pas pu...

Mais l'économe ne lui avait pas laissé finir sa phrase et avait répliqué méchamment :

– Que venez-vous faire ici en ce cas ?

– Je suis venu vous demander d'avoir pitié de ma famille et de m'accorder quelques jours de plus.

– Il n'en est pas question ! s'étaient écriés les compères, tandis que le juge contrôlait une fois encore les papiers.

À cet instant, sir Richard avait laissé éclater sa COLÈRE :

– Honte à vous ! Vous n'êtes que des rapaces ! Voici l'argent, mais ces écus ne vous rendront pas votre dignité !

Il avait jeté la bourse pleine d'or sur la table puis avait déchiré les papiers du juge, avant de quitter la salle. Il était reparti dans son château, où sa famille l'avait accueilli avec des effusions de joie.

Aussitôt, il avait déployé tous ses efforts pour faire cultiver ses terres et améliorer ses affaires, afin de pouvoir s'acquitter de sa dette d'honneur envers les compagnons de la FORÊT de Sherwood.

Robin avait écouté le récit de sir Richard avec grande attention.

Il regarda son ami dans les yeux, puis il éclata de rire.

– Savez-vous qu'il y a seulement quelques instants l'économe et le pitancier de l'abbaye étaient nos invités ! Ils nous ont gentiment « cédé » un trésor. N'ayez donc plus d'inquiétudes, sir Richard, votre dette a déjà été payée par ces bons moines ! Cette fois encore, justice est faite !

Et tous éclatèrent de RIRE.

GUY DE GISBORNE ENTRE EN SCÈNE

Un jour, dans le comté de Nottingham, une nouvelle commença à CIRCULER : Robin des Bois serait parti en MISSION dans le Yorkshire avec quelques-uns de ses compagnons.

Le shérif, son ennemi juré, décida que le moment était venu de régler ses comptes avec son rival. Il pensait que s'il parvenait à pénétrer dans la forêt et à se débarrasser du reste de la bande, il lui serait ensuite beaucoup plus facile de CAPTURER Robin et de le faire pendre.

Il fit venir de Londres des renforts, en espérant que ce seraient des soldats **COMBATIFS** et forts.

Le shérif, tout à ses préparatifs, s'agitait tant et si bien qu'en peu de jours tous les habitants des environs furent au courant de ses intentions.

Les **VALEUREUX** bandits de la forêt avaient à Nottingham de nombreux amis qui ne tardèrent pas à les alerter, afin qu'ils organisent leur défense. Aussi, dès que le shérif mit le pied dans la forêt, une telle pluie de **FLÈCHES** s'abattit sur lui et sur ses soldats qu'ils furent contraints de battre en retraite aussitôt. Il fallait les voir prendre leurs *PATTES* à leur cou !

Le shérif était furieux. Il avait ourdi son plan avec tant de soin… et, une fois de plus, il lui fallait essuyer une dure défaite.

Il passait son temps à accuser ses soldats d'être des bons à rien et à se plaindre de la **MALCHANCE** qui l'empêchait de mener à bien ses projets GRANDIOSES. Robin des Bois était le sujet de toutes ses conversations, l'objet de tous ses plans…

Un après-midi, Guy de Gisborne, un de ses proches amis, lui rendit visite. C'était un rat très prétentieux, qui se vantait toujours de son pouvoir et de ses victoires extraordinaires.

– Je n'ai peur de rien ni de personne ! dit-il, se pavanant. S'il m'arrivait de rencontrer ce Robin des Bois, je ne le laisserais pas m'*ÉCHAPPER* ! Je le capturerais et je lui infligerais les châtiments qu'il mérite !

Le shérif s'irrita :

– Assez de vos belles paroles, mon cher ! Ce

qu'il nous faut, ici, ce sont des *actes*. Croyez-moi, j'ai déjà essayé toutes les méthodes pour **CAPTURER** ce brigand, mais il s'en est toujours sorti ! Puisque vous êtes si sûr de vous, pourquoi ne tentez-vous pas de vous emparer de Robin des Bois ?

Guy de Gisborne ne se le fit pas dire deux fois. Mettre la main sur le célèbre coquin le ferait entrer dans les bonnes grâces du roi !

Il releva aussitôt le défi et passa le reste de l'**APRÈS-MIDI** à préparer une savante embuscade.

Il décida que le shérif et ses soldats s'avanceraient dans la FORÊT par le **NORD**, tandis que lui entrerait par le **SUD**. Ainsi, Robin des Bois et ses compagnons se trouveraient encerclés et n'auraient aucune échappatoire !

L'honneur de la mort de Robin reviendrait tout entier à Guy de Gisborne, qui ensuite lancerait avec sa corne un signal dont il aurait convenu avec ses rats d'armes. Le plan était prêt. Guy de Gisborne et le shérif étaient assurés de leur SUCCÈS !

UN HÉROS APPELÉ PETIT JEAN

Le jour de l'**ATTAQUE** arriva. Le shérif et Guy de Gisborne procédèrent comme ils l'avaient convenu, pénétrant dans la forêt chacun par un côté OPPOSÉ.

Robin des Bois, qui ne se doutait de rien, dormait sous l'ARBRE des rencontres, à côté de Petit Jean qui faisait la sentinelle. Soudain, un oiseau vint se poser sur une des branches les plus basses de l'arbre, il **GAZOUILLA** quelques instants, puis s'envola.

Le silence revenu, Robin se réveilla en sursaut.

– J'ai fait un rêve très étrange, Petit Jean ! Deux rats s'**avançaient** vers moi, armés jusqu'aux dents. Je me défendais avec **VIGUEUR**, mais ils étaient plus forts que moi. Alors que j'étais près de succomber, un oiseau arrivait et gazouillait : « Résiste ! J'appelle les **SECOURS** ! »

Robin s'interrompit et sourit.

– Je suis *heureux* de voir que ce n'était qu'un rêve !

Mais Petit Jean ne **SOURIAIT** pas du tout.

– Robin, pendant que tu dormais, un petit oiseau est arrivé et il a gazouillé. C'était peut-être un signal !

– Je ne suis pas superstitieux, Petit Jean, tu le sais, et je ne veux pas que tu croies à ces balivernes !

– Il vaudrait peut-être mieux être prudents malgré tout. Jeter un **COUP D'ŒIL** alentour ne nous coûtera rien !

Robin se laissa convaincre.

Ils rassemblèrent quelques compagnons et se partagèrent en deux groupes : Will et plusieurs souris allèrent vers le **NORD**, Robin et Petit Jean vers le **SUD**.

Comme la forêt était calme, Robin dit à Petit Jean :
– Va voir si Will et les autres ont rencontré quelqu'un. Moi, je reste ici. Je monte la **GARDE**.
Petit Jean obéit sans hésiter. **HEUREUSEMENT**, car il trouva le groupe de Will se démenant dans une bataille contre dix soldats !

La situation était sérieuse, et elle était en train

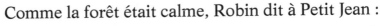

d'**EMPIRER**. En effet, un chevalier monté sur un destrier richement harnaché s'avançait à la tête d'une colonne de combattants. Que faire ?
– **COURS !** dit Petit Jean à Will l'Écarlate.
Va vite chercher des renforts ! Ceux-là, je m'en occupe !

– Ils sont trop nombreux, même pour toi !

– On ne peut pas faire autrement !

Will comprit que Petit Jean avait raison : leurs compagnons étaient déjà à terre.

Il courut à perdre haleine pendant que son ami tentait de repousser les assauts d'un groupe de rats très AGUERRIS.

Petit Jean résista du mieux qu'il put. Il combattit de toutes ses forces pour empêcher les soldats d'atteindre le cœur de la FORÊT !

Malheureusement, contre toute cette armée, sa force prodigieuse ne pouvait suffire. Il dut finalement se rendre.

Le shérif descendit de cheval et s'approcha de lui.

– Maintenant, je vais te faire payer vos rapines !

Petit Jean le regarda droit dans les yeux et répliqua :

– Messire, faites comme vous voudrez. Mais souvenez-vous que quand vous avez été notre hôte, nous vous avons bien traité ! Et puis je suis sûr que Robin des Bois viendra bientôt me LIBÉRER !

Le shérif partit d'un grand éclat de rire, puis il s'assit, à bonne d i s t a n c e de Petit Jean.

– Ne l'espère pas trop ! D'ici peu, nous entendrons l'appel d'une corne, et alors tu verras que pour ton ami Robin des Bois, il n'y aura plus rien à faire !

LE DERNIER DUEL

Pendant ce temps, de l'autre côté de la FORÊT, Robin des Bois rencontrait un voyageur qui portait un vieux chapeau, une cape, ainsi qu'un arc et une ÉPÉE.

Curieux, comme toujours, Robin des Bois engagea la *conversation* :

– Bonjour ! Vous avez un arc magnifique. On en voit rarement de si beaux par ici !

L'autre, préférant changer de sujet, répondit :

– Je me suis perdu ! Cette forêt est très dense et les sentiers sont un vrai **LABYRINTHE**.

– Je la connais assez bien. Si vous me dites où vous vous rendez, je pourrai peut-être vous aider.

– *Sincèrement*, je ne sais pas exactement où je dois aller. En fait, je cherche *quelqu'un*.

– Est-ce trop **indiscret** de vous demander de qui il s'agit ?

L'étranger répondit d'un **TRAIT** :

– Je cherche Robin des Bois et je suis disposé à payer grassement celui qui m'aidera à le dénicher. Je me cache sous cet accoutrement pour ne pas éveiller l'attention de ses complices.

Robin, sans laisser voir sa **STUPEUR**, déclara :

– Vous avez de la chance ! Je sais où vous pouvez le trouver. Mais expliquez-moi : *pourquoi* êtes-vous à sa recherche ?

– Je veux le capturer et le faire pendre.

– Que vous a-t-il fait pour mériter ça ?

– À moi ? Rien.

– En ce cas, permettez-moi de vous dire qu'il est assez **curieux** que vous vouliez le faire pendre.

– Ce n'est pas pour moi que je veux le capturer. Mais j'ai promis au shérif que je parviendrai à m'emparer de ce brigand, et maintenant, c'est mon HONNEUR qui est en jeu. Je dois accomplir la **MISSION** que je me suis donnée. Dès que j'aurai mis la main sur lui et l'aurai occis, j'appellerai mes amis, qui en ce moment même AVANCENT depuis l'autre côté de la forêt pour le coincer.

– Qui êtes-vous ?

– Je suis le *baron* Guy de Gisborne. Et vous ?

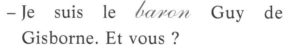

– Je suis celui que vous cherchez. *Je suis Robin des Bois.*

Guy de Gisborne bondit, dégaina son ÉPÉE et se mit en garde.

– Préparez-vous à dire adieu à cette vie !

151

Robin, aussi **RAPIDE** que son adversaire, répliqua :

– Messire, ne croyez pas qu'il soit facile de me capturer !

Un combat acharné s'engagea. Les deux rivaux se battirent sans quartier.

Robin se trouva très vite en difficulté. Contraint de reculer de quelques pas, il coinça sa patte entre les racines d'un ARBRE.

Guy de Gisborne en profita pour se ruer sur lui.

Esquivant l'attaque, Robin se libéra et sauta sur ses pattes. Le baron, surpris, perdit l'équilibre.

C'était pour Robin l'occasion de porter l'estocade.

Ainsi, il *remporta* le duel contre Guy de Gisborne.

UN NOUVEAU DÉGUISEMENT POUR ROBIN

Aussitôt, Robin revêtit le déguisement de son adversaire, prit sa corne et souffla dedans.

De l'autre côté de la forêt, le shérif sursauta.

– Vous avez entendu, vous aussi ? C'est la corne de Guy de Gisborne.

– Oui, c'est bien lui ! dit un soldat du baron. Le son de sa corne est **INIMITABLE**.

Un chœur de cris *joyeux* s'éleva dans les rangs des rats au service du shérif. Il était convenu que le son de la corne annoncerait la MORT de Robin!

Le shérif lança à Petit Jean :

– Ton chef est mort ! Regarde là-bas, au bout du chemin. Ne vois-tu pas arriver celui qui a mis fin à la vie de ce misérable ?

Petit Jean était atterré ! Il ne voulait pas croire que Robin des Bois avait vraiment été tué.

– Si vous aviez combattu loyalement, vous n'auriez pas pu le vaincre. Jamais au grand jamais ! hurla-t-il.

C'est alors qu'il aperçut une **SILHOUETTE** à l'horizon. Il avait presque **PEUR** de la regarder. La souris qui s'**APPROCHAIT** semblait effectivement être Guy de Gisborne. En réalité, Robin imitait si bien sa démarche qu'il **LEURRA** tout le monde.

Quand il fut à portée de voix, le shérif clama, joyeux :

– Cher Guy, je vous suis très reconnaissant !

J'userai de toute mon influence auprès du prince pour vous obtenir les privilèges que vous souhaitez ! Dès à présent, demandez-moi ce que vous voulez : j'exaucerai tous vos désirs !

Imitant la voix de Guy de Gisborne, Robin répondit :

– Pour le moment, je voudrais seulement pouvoir disputer un duel avec ce prisonnier. Je veux avoir la satisfaction de le pourfendre lui aussi.

– Vous serez **CONTENTÉ** sur-le-champ !

– Je vous demande aussi de nous laisser nous affronter en combat singulier, ajouta Robin. **ÉCARTEZ-VOUS !** Je suis sûr qu'à moi seul je lui infligerai une telle frousse qu'il avouera où se cachent tous ces malfrats !

Petit Jean avait déjà reconnu Robin et était très *ému* de le voir sain et sauf.

Tandis que les soldats s'éloignaient, Robin s'approcha de Petit Jean comme pour engager le COMBAT. Mais dès qu'il fut près de lui, il le libéra de ses cordes et *souffla* dans sa corne pour appeler leurs compagnons en renfort.

Le shérif était pétrifié. Robin ôta alors son chapeau et lui fit une révérence aussi profonde que MOQUEUSE.

Le shérif ne parvenait pas à croire que Robin était encore vivant et en train de se payer sa tête. Il se raidit plus encore quand il sentit la FORÊT secouée par le bruit des joyeux compagnons qui accouraient de toutes parts !

Robin l'avait berné, une fois encore !

Il enfourcha son cheval et, bien évidemment, prit la fuite, suivi par ses troupes.

Déjà, Petit Jean avait empoigné son arc et s'apprêtait à décocher ses flèches contre lui, mais Robin l'arrêta :

– Non, ce n'est qu'un vieux RAT. Laisse-le vivre avec ses remords, sa haine et ses PEURS.

Petit Jean le regarda et répondit :

– Je te donne ma parole que je ne le tuerai pas. Je lui laisserai seulement un petit souvenir.

– Alors vas-y, mais fais VITE : il s'enfuit à toute allure !

La CORDE de l'arc de Petit Jean vibra dans l'air, et une flèche atteignit le shérif dans un endroit tel qu'il était à parier qu'il ne pourrait plus s'ASSEOIR de sitôt !

Robin et ses amis employèrent le reste de la journée à fêter l'heureux dénouement de cette aventure.

LA FLÈCHE
D'ARGENT

Le shérif était **désespéré**. La capture de Robin des Bois était devenue son cauchemar ! Ses échecs répétés lui avaient fait perdre le sommeil. Après de longues réflexions, il décida de mettre au point une nouvelle RUSE.

Un jour, il sortit de son château et alla trouver un riche commerçant de ses amis.

Ils bavardèrent de choses et d'autres, puis le shérif pria son ami d'inviter à dîner les puissants de la ville. Il se chargerait pour sa part d'organiser un concours de tir à l'arc.

Le riche commerçant, qui avait de nombreuses faveurs à demander au shérif, accepta de le satisfaire. Il convia à une réunion les plus riches habitants de la ville, et tous accueillirent avec enthousiasme l'idée d'une compétition où se défieraient les archers du comté de Nottingham et de celui de York, qui avaient toujours été de terribles **RIVAUX** !

Le vainqueur recevrait une **flèche** à la pointe d'argent et à l'empennage en or massif.

Quelques jours plus tard furent placardées sur les murs de la ville des **AFFICHES** qui invitaient les habitants à participer au concours.

Le bruit ne tarda pas à se répandre jusque dans la forêt, où (comme vous le savez) vivaient les meilleurs archers d'Angleterre !

Robin voulut sur-le-champ s'inscrire, avec quelques-unes de ses souris les mieux entraînées. Mais il était loin d'être STUPIDE. Il était mentionné sur l'affiche que le shérif en personne ASSISTERAIT au concours. Robin comprit que cette présence EXCEPTIONNELLE avait une seule raison d'être : le shérif espérait que Robin des Bois serait parmi les concurrents.

Bref, c'était un défi auquel un archer tel que lui ne pouvait résister... et un piège conçu sur mesure pour le capturer !

Robin organisa donc une grande assemblée sous l'arbre des rencontres. Après s'être longuement consultés, tous décidèrent que Robin, Petit Jean, Will l'Écarlate, Frère Tuck et deux autres souris s'inscriraient au concours sous de faux noms et s'y rendraient, méconnaissables, sous des déguisements.

Les quatre-vingts autres compagnons se disper-seraient parmi la foule, prêts à intervenir en cas de DANGER.

Au même instant, dans son château, le shérif ordonnait à une cinquantaine de soldats de se mêler au public, cachés sous des guenilles de pauvres gens.

Tout était prêt !

UNE COMPÉTITION PASSIONNANTE

Au jour dit, une foule immense se rassembla sur la LICE, un vaste terrain non loin de la forêt où avaient lieu les concours et les tournois. Les spectateurs accoururent en masse des comtés de Nottingham et de York. Sur le bord de la lice, une tribune avait été DRESSÉE. Le shérif avait pris place au centre, entouré de ses gardes.

De ses petits yeux de fouine il SCRUTAIT la foule, à la recherche de l'insaisissable Robin. Le concours commença. Le public, passionné, retenait son souffle.

La première épreuve, entre York et Nottingham, se conclut à égalité. Les archers de la FORÊT, pour Nottingham, se présentèrent alors sur la lice pour la deuxième épreuve. La flèche de Will alla frapper très exactement le centre de la cible, avec une telle force qu'elle la transperça. Après lui, Petit Jean visa tout aussi juste. Enfin, Robin décocha sa flèche avec une précision de virtuose, **fendant** en deux celle de Petit Jean.

Un chœur de « OOOOH » s'éleva du public.

Mais ceux qui se battaient sous les couleurs de York furent aussi adroits, et cette fois encore les deux camps finirent à égalité.

Le shérif était inquiet : il avait beau épier chaque visage, il n'arrivait pas à repérer Robin des Bois !

Les spectateurs étaient, eux, de plus en plus agités : les deux équipes gagnaient toutes les épreuves ex aequo. Bientôt, l'excitation fut à son comble.

Il fallait imaginer des épreuves plus difficiles pour départager les concurrents !

Le shérif fit alors planter dans le sol de fines tiges de BAMBOU que les archers devaient atteindre de leurs flèches.

Ceux de l'équipe de York touchèrent tous les bâtons, mais n'en fendirent qu'un seul.

Robin et son équipe de souris firent de leur côté la démonstration de leur **EXTRAORDINAIRE** habileté : ils coupèrent tous les bâtons exactement à mi-hauteur.

Le comté de Nottingham avait gagné !

LA FOULE ÉTAIT EN LIESSE.

Dans le public se mit à courir le bruit que ces *formidables* archers ne pouvaient qu'appartenir à la bande de Sherwood, et que Robin des Bois était sûrement parmi eux, dissimulé sous un DÉGUISEMENT !

La rumeur parvint jusqu'à la tribune et aux oreilles du shérif, qui, comme ses gardes, commença à s'alarmer.

La situation devenait périlleuse.

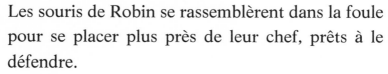

Les souris de Robin se rassemblèrent dans la foule pour se placer plus près de leur chef, prêts à le défendre.

En même temps, les gardes du shérif, déguisés eux aussi, se massaient près de la tribune.

La **TENSION** grandissait. Enfin, ce fut le moment de la remise des trophées. Robin des Bois devait monter sur l'estrade et recevoir le prix des pattes du shérif. Il s'avança prudemment, son chapeau lui couvrant à demi le museau, la tête baissée en signe de respect.

Le shérif essaya d'**IDENTIFIER** le vainqueur, mais il avait du mal à reconnaître ses traits, parce que c'était le **COUCHER DU SOLEIL** et que la lumière déclinait.

Robin reçut la flèche d'argent des pattes de son ennemi, puis, reculant de deux pas et redressant la tête, il déclara :

– Mon noble ami, je vous remercie sincèrement pour cette *superbe* récompense. Plein de reconnaissance, je retourne chez moi, dans la forêt. J'y conserverai ce trophée et je le montrerai à tous comme une preuve de votre grande générosité.

Cela dit, il descendit de l'estrade, rapide comme le **VENT**.

Le shérif trépignait :

– C'est Robin des Bois ! Arrêtez-le ! Ne restez pas plantés là comme des piquets ! Arrêtez-le !

Mais ses paroles se perdirent parmi les cris d'enthousiasme de la foule, qui une fois encore avait vu triompher son héros !

SAUVE-TOI, ROBIN !

Robin avait gagné le **centre** de la lice, entouré de ses archers.

– Ne décochez pas une seule **flèche** ! leur dit-il. Il y a trop de gens ! Ne prenons pas le risque de blesser des *innocents* !

La situation était très préoccupante. Mais les habitants de Nottingham formèrent une chaîne pour permettre à Robin et ses compères de **FUIR** vers la forêt. Une poursuite effrénée s'engagea entre le hors-la-loi Robin des Bois et les rats du shérif.

Dans la précipitation, Petit Jean tomba à terre.
Il était blessé à un genou et perdait du
SANG.

Robin s'arrêta et se pencha sur lui.

Petit Jean parlait d'une voix faible :

– Robin, je suis gravement TOUCHÉ. Ne t'attarde pas à cause de moi, sinon ils vont te capturer ! Laisse-moi ici. SAUVE-TOI ! Qu'au moins l'un de nous deux leur échappe !

– Je ne t'abandonnerai pas, Petit Jean, pour rien au monde ! s'exclama Robin, les larmes aux yeux.

Petit Jean n'était pas loin de pleurer lui aussi :

– Tu es le chef de notre bande. Tu ne peux pas risquer la vie des autres pour préserver la mienne ! Mène nos compagnons en sûreté, Robin !

– Je ne t'abandonnerai jamais. Nous sommes toujours restés unis, quoi qu'il soit advenu. Et nous le serons cette fois encore !

Petit Jean insista, presque **impatient** :

– Les soldats s'approchent… tu les entends ? **Sauve-toi !**

– Non, je reste ici, à tes côtés ! déclara Robin, le cœur serré par la TRISTESSE.

Will et Frère Tuck arrivèrent, tout essoufflés, suivis de leurs amis. Ne voyant plus Robin derrière eux, ils étaient REVENUS sur leurs pas.

Personne ne voulait abandonner Petit Jean.

– Je te porterai sur mes épaules !… lança Will l'Écarlate.

– … et quand il sera fatigué, je prendrai le relais ! renchérit Frère Tuck.

– **Moi aussi !** ajouta Robin. Et je tiendrai les soldats à bonne distance, grâce à mes **flèches** !

Pendant ce temps, les cris et les pas des soldats se rapprochaient. L'avantage que la bande de Robin avait gagné était maintenant réduit à presque rien.

Il n'y avait plus une **MINUTE** à perdre !

Will chargea Petit Jean sur ses épaules et ils se remirent en route, plus lents, mais plus DÉTER-MINÉS que jamais. Porter leur colossal ami était une tâche épuisante, mais le courage les aidait à tenir bon.

La distance avec leurs POURSUIVANTS s'était encore dangereusement réduite. Mais soudain, ils aperçurent les tours d'un château.

– Savez-vous à qui appartient cette demeure ? demanda Robin.

Un des compagnons s'écria :

– Bien sûr ! C'est le château de Richard de La Plaine.

Un soupir de soulagement parcourut tout le groupe.

– Alors nous sommes sauvés !

Frère Tuck, rapide comme une flèche, courut prévenir les habitants du château.

Bientôt, le pont-levis s'abaissa et un cavalier le franchit au galop, se dirigeant vers eux.

– Je suis Herbert de La Plaine, le fils de sir Richard. Je suis *heureux* de pouvoir aider les valeureux qui ont secouru mon père et ma famille !

Robin le serra dans ses bras et n'eut que le temps de lui dire :

– Ils sont sur nos **TALONS**, nous n'avons pas un instant à perdre !

Petit Jean, qui était évanoui, fut chargé sur le cheval d'Herbert et tous se précipitèrent dans le château.

Les soldats du shérif ne purent que tirer leurs flèches contre le pont-levis qui était en train de se relever.

Robin et ses compagnons étaient sauvés, de justesse !

Si Robin se sentait soulagé, le shérif n'en finissait pas de ressasser sa colère et sa défaite.

Cette fois, il avait eu Robin presque à sa merci !

Il décida d'aller trouver sir Richard de La Plaine et de lui ordonner de lui remettre le hors-la-loi.

Sir Richard apparut sur le rempart et écouta la requête du shérif.

– Sir Richard, savez-vous vraiment qui sont ces hommes que vous hébergez ?

– **Certainement !**

Le shérif tremblait d'indignation.

– Vous êtes au courant que vous hébergez un hors-la-loi ?!

– Je suis ici chez moi et je peux y inviter qui je veux. J'ai à ma disposition les meilleurs **GARDES** et les meilleures **flèches**, que je suis prêt à utiliser contre quiconque menace mes amis. Je vous prie donc de ne pas insister et de partir **immédiatement** !

Le shérif savait qu'il n'avait pas le choix. Mais tandis qu'il s'*ÉLOIGNAIT*, il murmura entre ses dents :

– Je l'aurai un jour ! J'en fais la promesse !

Et tandis que le shérif échafaudait un nouveau plan, Robin et tous ses amis, dans le château de sir Richard, se reposaient de leurs aventures.

UNE VENGEANCE DÉJOUÉE

e shérif de Nottingham persistait à vouloir mettre ses **MENACES** à exécution. Quelques jours plus tard, il enfourcha son cheval et partit pour Londres demander audience au prince JEAN SANS TERRE.

Le prince le reçut aussitôt et écouta ses lamentations.

– Monseigneur ! Un chevalier a donné l'hospitalité au **BRIGAND** Robin des Bois et a refusé de me le livrer, à moi, un représentant de la loi ! Je précise que je lui en ai fait la demande en VOTRE NOM !

Le souverain fronça les sourcils.

– Vous voulez dire que ce chevalier m'a manqué de respect ?

– Précisément, Monseigneur. Ce chevalier s'appelle Richard de La Plaine.

– Je vous ordonne de l'arrêter et de l'enfermer dans vos geôles. D'ici à deux semaines, je viendrai à Nottingham et je me chargerai alors de le faire PENDRE !

Le shérif, satisfait, s'*ÉLOIGNA* du palais.

Mais comme c'était un lâche et un faible, il décida de ne pas attaquer de front le château de sir Richard et préféra tendre une embuscade à l'extérieur.

Il envoya un groupe de soldats se cacher dans les buissons et leur donna l'ordre d'attendre le chevalier.

Ils n'eurent pas à patienter très longtemps. Peu après, Richard de La Plaine et son fils sortirent pour faire une promenade. Sans méfiance, et sans armes, ils furent surpris par les gardes du ꗷ𝔥é𝔯𝔦𝔣 et furent faits prisonniers.

Heureusement, un serviteur qui les accompagnait échappa à la capture et parvint à donner l'**ALARME**.

Apprenant la nouvelle, lady de La Plaine, au désespoir, eut l'idée d'aller trouver le shérif et de l'IMPLORER d'avoir pitié de son mari.

Mais Lilas, sa chère fille, l'en dissuada :

– Les seuls qui puissent vraiment nous aider sont Robin des Bois et ses compagnons ! Il faut aller les avertir !

Cela paraissait être l'unique solution.

Lilas équipa un cheval et partit aussitôt au galop. Parvenue à l'arbre des rencontres, elle arrêta sa monture. Par **CHANCE**, Robin était justement là.

La jeune fille, en larmes, raconta l'enlèvement de sir Richard et la **PEUR** qui s'était emparée de sa mère adoptive et de tout le château.

Robin lui prit délicatement les pattes.

– Un chevalier ne peut pas être pendu sans avoir eu droit à un procès régulier. Pour le moment, vous n'avez donc pas de raison d'être *inquiète* pour la vie de sir Richard. L'amitié qui nous LIE est si forte que je trouverai un moyen de le ramener chez lui quoi qu'il arrive. Mais maintenant, retournez au château : lady de La Plaine a grand besoin de vous.

Sans attendre, Robin organisa la libération de son ami et envoya ses compagnons recueillir des informations. Bientôt, ils lui apprirent que le shérif s'apprêtait à rentrer dans la ville avec son escorte de rats et ses prisonniers.

Lui-même et ses amis partirent alors se placer, en deux groupes, de chaque côté de la route qui menait au château de Nottingham.

Lorsqu'il vit le **PELOTON** des gardes, Robin décida de laisser passer les premiers rangs sans broncher : la **surprise** n'en serait que plus grande. Puis, à son signal, les compagnons firent pleuvoir sur les soldats une pluie de flèches.

Les archers de la forêt surgirent des buissons et encerclèrent les gardes. Les combats s'engagèrent. Sir Richard et son fils Herbert furent libérés et se battirent à leur tour avec une **ÉNERGIE** farouche.

Dans la confusion générale, alors que les flèches fusaient de toutes parts, l'une d'elles vint frapper par hasard le **shérif**, qui s'écroula à terre, sans vie.

Et ce fut ainsi que le destin mit fin à l'existence du shérif de Nottingham. Les soldats, privés de leur chef, déposèrent leurs armes et s'enfuirent en direction de la ville.

Robin regarda le corps de son rival étendu sur le sol et dit :

– Pauvre shérif, ton cœur était vide et sans pitié. Tu as persécuté tes sujets et trahi ton roi. Malgré tout, j'espère que tu as maintenant trouvé la **PAIX**.

Puis, s'adressant à sir Richard :

– Mon ami, je voudrais vous exprimer mes regrets. Je vous ai libéré des 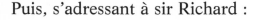**GEÔLES** du shérif, mais je ne vous ai pas sauvé de la ruine. Vous m'avez aidé, et pour m'avoir donné l'hospitalité, vous voilà en grand souci.

– Cela ne me fait pas peur, Robin, et je suis fier de notre amitié ! C'est ce qui importe le plus dans la vie.

– Mais maintenant, vous êtes recherché pour déso-béissance ! Vos biens vont être confisqués et votre famille n'aura plus l'existence *sereine* que vous avez tant voulu lui assurer. Permettez-moi de vous proposer de vivre avec nous dans la forêt. Vous et votre famille. Je pourrai ainsi veiller sur votre sécurité et sur celle des vôtres.

Tout ému, sir Richard répondit :

– J'accepte très volontiers. Mais avant tout, je veux essayer d'obtenir le pardon du *prince* et lui expliquer ce qui s'est passé.

C'est ainsi que le chevalier **PARTIT** pour Londres. Hélas, cela ne servit pas à grand-chose, sinon à apprendre une série de MAUVAISES nouvelles. En effet, le prince JEAN SANS TERRE avait décidé d'envoyer un bataillon entier contre lui et promis une grosse récompense à qui lui ramènerait Robin des Bois.

Alors sir Richard se résolut à vider son château de tout ce qu'il contenait et à aller s'installer dans la forêt avec sa famille.

LE RETOUR
DU ROI RICHARD

Quelques années s'écoulèrent dans la paix et la *tranquillité*, les compagnons de la forêt continuant à vivre en dépouillant les riches pour donner aux pauvres...

Tout allait bien, jusqu'au jour où monseigneur Longchamp, l'évêque d'Ely, décida que le moment était venu de se DÉBARRASSER définitivement de Robin des Bois et de sa bande.

Il chargea de cette opération le *prince* régent, Jean sans Terre, qui se mit en route avec cinq cents soldats en direction de la forêt de Sherwood.

Quand Robin fut informé de cette EXPÉDITION, il partit d'un grand éclat de RIRE. Ce ne serait certes pas un prince froussard et lâche qui mettrait fin à sa mission !

Il demanda à une douzaine de ses compagnons de s'habiller comme des paysans et d'aller à la rencontre du prince.

Les archers déguisés s'offrirent alors pour guider le prince et l'aider à débusquer Robin des Bois. Leur proposition fut accueillie avec enthousiasme !

Mais les compagnons de Robin firent chevaucher et tourner en rond les rats du prince Jean à travers toute la FORÊT sans jamais les mener au refuge de Robin. Les soldats durent s'aventurer dans de profonds ravins, remonter le cours de longs ruis-seaux et s'**embourber** dans de dangereux marécages. Au bout de deux semaines, ils renon-cèrent, épuisés et AMERS.

Entre-temps, JEAN SANS TERRE avait été rappelé à Londres pour des affaires **URGENTES**. Aussi, pendant quelque temps, il ne fut plus question de la capture de Robin des Bois.

Peu après, le roi **Richard Cœur de Lion** revint en Angleterre. Il trouva son royaume si mal en point, son peuple si **mécontent** et appauvri, ses affaires si mal gérées qu'il ne put retenir sa colère contre son frère Jean, cet incapable ! Il se mit aussitôt en route pour le château de Nottingham, où Jean sans Terre, craignant les **FOUDRES** de son frère, s'était retranché. Richard fit donc le siège de son propre château et, après trois jours d'assauts, le prince Jean se rendit. Toutefois, il parvint à **ÉCHAPPER** à la capture.

Or pendant le siège, le roi Richard avait constaté avec surprise qu'un groupe d'archers inconnus lui prêtait main-forte. Le lendemain, il envoya ses serviteurs se renseigner. Ceux-ci lui apprirent que ces souris étaient les compagnons de la forêt. Ils lui racontèrent les exploits de Robin des Bois, son audace, son COURAGE et lui dirent combien il était aimé de tous les pauvres du comté. Le roi décida alors d'aller faire sa connaissance…

UNE VISITE IMPORTANTE

Escorté de ses gardes, **Richard Cœur de Lion** se rendit dans la **FORÊT** de Sherwood. Il la parcourut pendant des heures et des heures, mais il ne rencontra personne.

À la **TOMBÉE DU JOUR**, perdant patience, il revint au château de Nottingham. Le lendemain matin, il fit convoquer un **vieux** garde forestier et se fit expliquer pourquoi il n'avait pas pu trouver Robin des Bois.

– Pour rencontrer Robin, il faut certes aller dans la forêt, mais sans escorte, lui répondit le vieux garde. Il n'aime pas prendre de risques. Non pas qu'il manque de courage ni de force, mais parce

que c'est une souris prudente et courtoise. Il est toujours content quand il peut éviter l'affrontement.

— Voilà qui me paraît témoigner d'un cœur *noble* ! s'exclama le roi.

— Votre Majesté devrait revêtir une robe de moine et parcourir les sentiers de Sherwood avec une petite escorte. C'est la manière la plus simple de rencontrer Robin.

Le roi suivit le conseil à la lettre. Il choisit des VÊTEMENTS d'abbé pour lui et de moine pour les cavaliers qui l'ACCOMPAGNERAIENT. Comme l'avait sagement prévu le vieux garde, ils ne tardèrent pas à voir leur chemin barré par Robin des Bois encadré de ses amis Will l'Écarlate et Petit Jean.

Pour être certain d'être arrêté, le roi Richard fit semblant de chercher à s'ENFUIR.

Aussitôt, Robin défit les BRIDES de son cheval et l'arrêta.

– Pardonnez-moi, monsieur l'abbé, lui dit-il, je veux seulement vous prier d'accepter mes salutations.

Richard Cœur de Lion fit mine de s'indigner :

– Qui es-tu pour t'attaquer ainsi à un rat d'Église ?

– J'habite dans la FORÊT et je vis de ce que les personnes pieuses comme vous ont la générosité de me « donner ».

Le roi retint son envie de RIRE et prit un air sérieux.

– Voilà qui est clairement dit ! Qu'attends-tu donc de moi ?

– Monsieur l'abbé, je vous demande de me remettre l'argent que vous avez sur vous.

Richard lui tendit sans hésitation une bourse de cuir.

– Voici quarante écus d'or. J'en aurais eu davantage si je ne sortais à l'instant du château où je suis allé porter au roi le produit des impôts.

– Dans ce cas, j'ai plaisir à ne pas insister. D'ailleurs, pour vous remercier de votre **Franchise**, je ne prendrai pas plus de vingt écus.

– Vous aussi, vous êtes, à votre façon, très honnête, et vous avez pour cela toute mon admiration, s'exclama le roi.

– Alors je vous invite à venir **trinquer** avec nous.

– Permettez-moi d'abord de vous demander qui vous êtes, s'enquit cette fois le roi.

– Je suis Robin des Bois.

– Eh bien, je vous transmets le salut du roi Richard, qui m'a personnellement fait part de son désir de vous rencontrer. Il vous est très reconnaissant de l'aide que vous lui avez apportée lors de la dernière bataille.

– Je suis très honoré du salut du SOUVERAIN et je vous prie de lui faire savoir que ce serait pour nous un **IMMENSE** plaisir de l'avoir à notre table. Mais je suppose qu'il n'a guère de temps à accorder à ses HUMBLES serviteurs… Dites-lui surtout que nous lui sommes fidèles et que nous apprécions sa sagesse et son courage.

– Je n'y manquerai pas. Et maintenant, **montrez**-moi le chemin, je vous suivrai volontiers pour trinquer avec vous, conclut le faux abbé.

Arrivé au campement, le roi Richard sut ouvrir une brèche dans le *cœur* de Robin, se montrant le plus sympathique de tous les rats d'Église qu'il ait jamais croisés. En son honneur, les compagnons se livrèrent à toutes sortes de jeux de force, de sauts périlleux et d'acrobaties spectaculaires. Ils lui offrirent même une éblouissante démonstration de tir à l'arc.

Le roi passa ainsi un après-midi agréable. Grâce à son DÉGUISEMENT, il put se divertir en toute simplicité.

Mais son anonymat n'allait pas tarder à être dissipé…

L'AMOUR
TRIOMPHE !

En cette fin d'après-midi, Richard de La Plaine eut l'idée de rendre visite à son ami Robin. Il le trouva au beau milieu de ces RÉJOUISSANCES. Mais lorsqu'il vit le visage de l'abbé qui discutait avec le hors-la-loi, il resta paralysé de stupeur.

Il attira Robin à l'ÉCART et lui demanda :

– Robin, sais-tu qui est le noble rongeur avec qui je te vois en grande conversation ?

– J'ai l'impression qu'il n'est pas celui qu'il dit être, mais je ne sais…

Richard de La Plaine ne put attendre plus longtemps. Il annonça d'une voix forte et solennelle :

– Habitants de la forêt, inclinez-vous devant votre souverain, **Richard Cœur de Lion** !

Toute l'assistance demeura pétrifiée. Puis Robin, le premier, suivi de tous les autres, mit un genou à terre en signe de RESPECT et dit :

– Sire, vous avez vu par vous-même qui nous sommes réellement : des souris qui ont été dépouillées de leurs biens à cause des décisions injustes de personnages MALFAISANTS. Nous avons vécu de dons que nous avons, c'est vrai, souvent extorqués. Mais nous n'avons *jamais* exigé plus qu'il ne nous était nécessaire et nous n'avons *jamais* gardé le produit de nos rapines pour nous seuls. Nous sommes vos humbles serviteurs et nous vous prions de nous faire la grâce de nous consi-dérer désormais comme vos très dévoués sujets, et non plus des hors-la-loi.

– Expliquez-moi d'abord pourquoi vous m'avez aidé dans la BATAILLE, demanda le roi.

– Nous estimions que JEAN SANS TERRE devait payer pour ses mauvaises actions. Vous êtes un souverain loyal et courageux et nous voulions vous apporter notre aide. Mais avant la fin de la bataille, nous nous sommes é l o i g n é s, parce que nous avions combattu à vos côtés par conviction, et non pour recevoir des honneurs ou de l'argent.

– Vous avez un cœur NOBLE, Robin des Bois. Demain, en présence des magistrats du royaume, j'ANNULERAI tous les mandats d'arrêt qui pèsent sur votre tête et sur celles de vos amis.

Des cris de JOIE et un tonnerre d'applaudissements s'élevèrent dans toute la forêt.

Robin, touché par la bonté du roi, entreprit alors de lui raconter la TRISTE histoire de Richard de La Plaine.

Le roi fut horrifié en apprenant ce qui était arrivé à ce noble chevalier et il lui promit que, bientôt, il retrouverait tous les biens qui lui avaient été confisqués.

– Mais, cher Robin, n'étiez-vous pas, vous aussi, un riche chevalier ? Ne voudriez-vous pas récupérer ce qui vous a appartenu ?

– Non, sire. J'ai fait le choix d'une vie *libre* et pour la défense de la justice. Maintenant que je ne suis plus banni de la société, me voilà encore plus heureux et fier de suivre mon **CHEMIN**.

– Je suis fier, moi, de vous connaître. Vous aurez toujours ma protection !

Robin, rassemblant son courage, prit sa **RESPI-RATION** et ajouta :

– Ce serait pour moi un honneur… si je pouvais vous demander une faveur…

Le roi Richard l'encouragea :

– N'hésitez pas !

Robin **ROUGIT** jusqu'aux oreilles et se tourna vers ses amis, cherchant des yeux une personne mystérieuse.

Le roi Richard, perplexe, se demandait ce qui allait se passer.

Enfin, Robin trouva celle qu'il cherchait : *lady Marianne*. Il la regarda intensément et lui **SOURIT**.

Marianne, embarrassée, *baissa* les yeux, puis les releva en esquissant à son tour un sourire, les **larmes** aux yeux.

Robin, rassemblant son courage, déclara, d'un trait, au roi :

– Je voudrais vous demander, *sire*, de m'accorder la main de votre cousine, lady Marianne. Depuis quelque temps en effet, elle vit avec moi dans la forêt et elle est ma **fiancée**.

Le roi Richard, en guise de réponse, rit de bon cœur et serra dans ses bras Robin et Marianne.

– Robin, non seulement je suis *heureux* de consentir à ce mariage, mais je veux accompagner moi-même la mariée jusqu'à l'autel le jour des noces ! Accorderez-vous cet *honneur* à votre vieux roi ?

L'assemblée **applaudit** à tout rompre. Les compagnes de lady Marianne se pressèrent autour d'elle pour la féliciter et Robin fut porté en TRIOMPHE par ses compagnons !

Le mariage de Robin et de Marianne fut vraiment une fête merveilleuse. Les habitants de la forêt tressèrent des guirlandes de fleurs et jouèrent de douces musiques pour les deux *amoureux*. Tous dansèrent jusqu'au milieu de la nuit, jusqu'à ce que leurs pattes demandent grâce.

Le roi Richard récita des poèmes en l'honneur des nouveaux mariés. Lady Marianne en fut très *émue*. Et ce fut le banquet le plus somptueux, le plus copieux, le plus *délicieux* jamais préparé dans la forêt de Sherwood !

YORKSHIRE

York

NOTTINGHAMSHIRE

Nottingham

CAMBRIDGESHIRE

Ely

HEREFORDSHIRE

Hereford

Londres

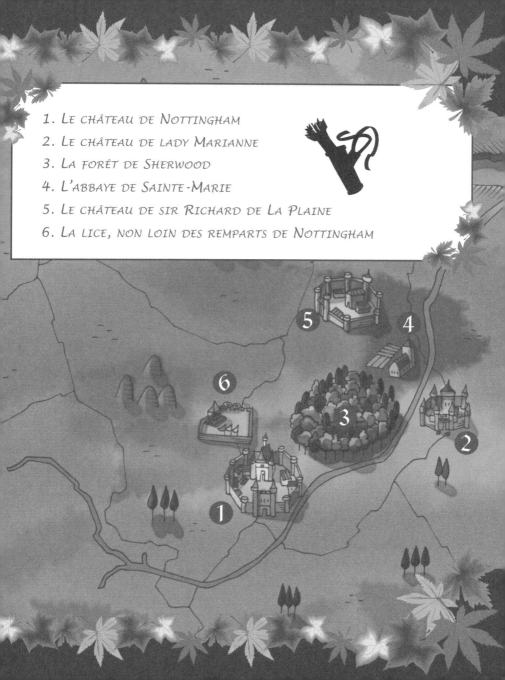

ALEXANDRE DUMAS

Alexandre Dumas est né le 24 juillet 1802 à Villers-Cotterêts. Petit-fils d'une esclave noire et d'un marquis, il était quarteron et fut souvent victime des sarcasmes racistes de ses contemporains. À vingt ans, pour échapper à la pauvreté, il quitte Villers pour Paris. Grâce à ses talents d'écriture, il y travaille comme clerc de notaire puis entre au service du duc d'Orléans. Sa carrière littéraire commence par le théâtre, mais après le succès de sa pièce *Henri III et sa cour*, il préfère se consacrer au roman. C'est un auteur prolifique de fresques historiques telles que *Les Trois Mousquetaires* ou *Le Comte de Monte-Cristo*, qui furent de grands succès populaires publiés dans la presse en romans-feuilletons.

En 1846, il ouvre à Paris son propre théâtre, qui fait faillite dès 1850. Ruiné, Dumas est obligé de vendre aux enchères son château et doit même s'exiler un temps en Belgique. Il ne cessera jamais d'écrire pour autant.

Il meurt à Puys, près de Dieppe, le 5 décembre 1870, quelques mois après un accident vasculaire qui l'avait laissé à demi paralysé.

Son fils, également nommé Alexandre Dumas, était lui aussi un romancier et un auteur dramatique, qui est connu surtout pour son roman *La Dame aux camélias*.

La dépouille d'Alexandre Dumas a été transférée au Panthéon, à Paris, le 30 novembre 2002, à l'occasion du bicentenaire de sa naissance.

TABLE DES MATIÈRES

Geronimo Stilton

DANS LA MÊME COLLECTION

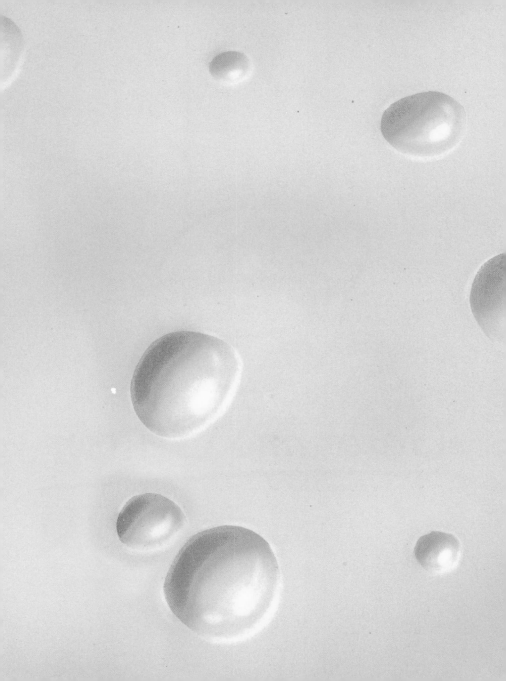

Geronimo Stilton